義太夫節浄瑠璃未翻刻作品集成 78

義太夫節正本刊行会 編

玉川大学出版部

詩近江八景《からうたおうみはっけい》

表紙図版　義太夫節浄瑠璃全盛期の竹本座と豊竹座
（早稲田大学演劇博物館蔵『竹豊故事』より）

刊行にあたって

浄瑠璃が板本として出版され始めてから、ほぼ四百年の時が経つ。その間に刊行された作品は千数百点にも達するであろう。わが国の代表的劇作家近松門左衛門の極く初期の作品を以て、古浄瑠璃と当流（新）浄瑠璃とに二分するのが浄瑠璃史の定説であるが、古浄瑠璃時代の作品（約五百点）は全てといってよいほど活字化されている。当流浄瑠璃となると、近松を初め、紀海音、錦文流、西沢一風、福内鬼外、菅専助の六作者に関してはそれぞれ全集が刊行されているが、それ以外の作者のものは文学全集等に収められた名作と称されるものに限られている。活字化された作品が極めて少ないのが現状である。

近代になると明治維新以前の書物が活字化されることとなる。この潮流の中に浄瑠璃名作も含まれ、その数は少なくない。だが名作の重複といわざるをえない。

近世芸能の浄瑠璃は近代になっても文楽の名のもと、舞台の芸能として隆盛を続けた。大阪という一都市に限らず、全国に文楽人口は充ち満ちていたといっても過言ではない。文楽を支える人口の相当数は浄瑠璃を習得する人口とも合致した。文楽は太夫、三味線、人形の三業によって成り立つ芸能であるが、太夫と三味線だけで浄瑠璃を聞かせること、今でいう素浄瑠璃でも十分満足できる。玄人は素浄瑠璃の会を開催する。素人もまた己の芸を披露することを試みる。これは浄瑠璃が音曲として勝れた表現技法を会得していることによるが、さらにいえば語られる内容が聴く者の心を揺り動かすためである。言葉を替えていえば文学としての鑑賞にも十分耐え得る内容を浄瑠璃が備えているということであろう。

浄瑠璃が語られ始めてさほど時を経ぬ時代から、文学として享受された記録は、全国各地に拾うことが出来る。何故か。手短にいおう。浄瑠璃は近世庶民の倫理観、人生観を構築していく上で必読書であった。それ故に近代の出版物に多く含まれたのである。

近世から近代まで、わが国の一般庶民に愛好された浄瑠璃、そこで展開された思想は、血肉となって伝えられたといってもよい。現代は如何であろうか。断絶があるという外はない。理由は浄瑠璃との接触の機が非常に薄くなったためである。この不幸な状況を打破すべく、私どもは義太夫節正本刊行会を平成十年に組織して活動を始めた。未翻刻作品を世に送り出し、あわせて戦前に翻刻があるものの手に入りにくく、今や未翻刻と同様の作品も対象とすることとした。

先に述べた古浄瑠璃の作品や浄瑠璃作者の全集は学術出版の形をとったが、ここに提供する「集成」は、誰もが一度は手にとらねばならなかった小・中学校の教科書を意識した造本にした。近代日本における個性あふれる教育機関として知られる玉川大学の出版部において、この「集成」が世に出ることも、何かの巡り合わせではなかろうか。このことは会員一同の喜びでもあり、今は読者の一人でも多からんことを祈る気持ちである。

右は第一期刊行時の趣意に多少の手を加えたもので、今も当初の意識を持続している。

第二期に至り賛同した数人の若い研究者の参加を得、第三期以降は更に賛同者を増加した。刊行会の発展の上でも心強く、学問の継承の上でも、大変喜ばしいことである。

*

ここまでが、第七期の刊行決定直後に、ご他界なさった鳥越文蔵先生のご執筆によるものである。

今回も、「集成」の続刊を準備する間に、日本学術振興会から令和四年度・五年度科学研究費補助金及び令和六年度学術研究助成基金助成金の交付を受け、浄瑠璃正本の調査、デジタル・アーカイブ拡充に向けてのデータ作成を進めることができた。さらに日本学術振興会令和六年度科学研究費補助金研究成果公開促進費の助成にも恵まれたので、引き続き玉川大学出版部により「義太夫節浄瑠璃未翻刻作品集成」第八期として、十一作を刊行する運びとなった次第である。

なお、第八期の原稿作成最中の令和四年に、正本刊行会において長くご指導くださった内山美樹子先生が逝去された。先生からは「集成」の収載作品として、戦後数十年間に刊行された文学全集等に収載された作品も近年では入手しにくくなってきたことを鑑み、それらに収載された翻刻作品も改めて取り上げるべきとの方針をお示しいただいた。本研究会はその方針にのっとり、今期以降作品を選定していくこととした。

終わりにこの「集成」刊行にあたって底本を提供してくださった、大倉集古館、国立劇場、松竹大谷図書館、天理大学附属天理図書館、東京都立中央図書館加賀文庫、文楽協会豊竹山城少掾文庫、早稲田大学演劇博物館、諸本の閲覧を許された所蔵者・機関各位に篤く御礼を申し上げる。

令和六年　六月

義太夫節正本刊行会

目次

凡　例

一、底本　出来得る限り初板初摺の七行本を用いた。

一、作品名　内題によった。

一、校訂方針　底本を忠実に翻刻することを原則としたが、次のような校訂を施した。

1　丁付　丁移りの箇所は本文中に「（　）」を施し、その中に実丁数を洋数字で示し、表「オ」、裏「ウ」の略号を付した。

2　文字　①平仮名、片仮名とも現行の字体を用いた。

②常用漢字表、人名漢字表に収録されているものはその字体を使用することを原則とした。ただし、一部底本の表記に従って複数の字体を使用したものもある。

（例）　回／廻　食／喰　杯／盃　竜／龍　涙／涕　婿／壻／聟

③特殊な略体・草体・合字などは表記を改めた。

（例）
→様　→部（ただし→夕べ）　→候　→郎

→参らせ候　→給　→也　→こと　→こゑ

④踊字は、原則として平仮名は「ゝ」、片仮名は「ヽ」、漢字「々」に統一した。ただし「〱」は底本のままとした。

⑤仮名遣い、清濁、誤字、衍字は底本のとおりとした。

⑥＊は原本の「ママ」の意であるが、極力付さないこととした。

3　譜　墨譜は全て省略したが、文字譜は全て採用し、本文行の右、または振り仮名の右の適切と思われる位置に付した。

4　太夫　語る太夫を指定した略号は、それを「□」で囲い、文字譜の位置に付した。

5　句点　「。」で統一した。

6　破損　底本が破損などにより判読不能の場合は、同板の他本により補ったが、一々断ることはしなかった。

7　改行　本文は曲節等を配慮して適宜改行した。

一、解題　底本の書誌、番付・絵尽の有無（『義太夫年表　近世篇』に依拠）、初演年・劇場、主要登場人物、梗概で構成し、補記として校異本に触れることもある。

詩近江八景

詩近江八景

作者　為永太郎兵衛

第一　石山の秋の月

序詞
幽州《ゆうしう》の藪沢《そうたく》に霊鳥《れいてう》あり。人《ひと》の面《おもて》鳥《とり》の喙《くちばし》。八《やつ》の翼《つばさ》一ッの足《あし》。行《ゆく》に地《ち》を踏《ふま》ず。其声律呂《そのこゑりつりよ》の調子《てうし》にあたり。盛《せい》明《めい》の代《よ》に出顕《しゆつげん》す。古語《こご》の例《ためし》を日の本や。七十六代の主上《しゆじやう》。近衛院《こんゑのゐん》の聖徳《せいとく》こそ　ヲロシ　〽あをぐも ウ おさ〱。

ハル　ユリ
有難し。

地中
神代《かみよ》の ウ 教《をしへ》道直ク《すぐ》に。四門《しもん》和《やは》 ウ らぐ紫宵《しせう》の上《うへ》。ハル 星《ほし》の位《くらい》も穏《おだやか》に国は。フシ　中 常世《とこよ》（1オ）と栄《さかへ》ける。

地色中
頃は久寿《きうじゆ》 ウ 元年秋 ウ 八月十五日。摂政《せつしやう》九条ノ大臣忠通《たゞみち》公。ウ やぐらの司《つかさ》宇治ノ宰相《さいしやう》時長《ときなが》卿を始め。ハル 百官《くはん》百寮《りやう》記録所《きろくしよ》に予参《よさん》有ル。殿下《でんか》忠通公正 笏《しやうしやく》し。今日旁《かたく》を招《まね》きしは余《よ》の義にあらず。去 仁平三年《さんぬるにんぺい》の帝《みかど》の御脳《ごなう》。
源三位頼政《よりまさ》が鳴弦《めいげん》の徳によつて平愈《へいゆ》有しか共。それより三年以来《みとせこのかた》。玉 体《ぎよくたい》の節々《ふしぐ》を痛《いたみ》給ふ事時々《じゝ》に絶《たへ》ず。
和気丹家《わけたんけ》の尚 薬局《しやうやくきよく》。医術《いじゆつ》をふるふといへ共。其験《しるし》なかりし所に。陰陽《おんやう》ノ頭泰成《かみやすなり》が占《うらなつ》て考状《かんじやう》に申ス様。古《いにし》へ
鎌足《かまたり》ノ大臣。代々《よゝ》の帝の御ン守《まもり》と成べしと。相州《さうしう》松が岡《おか》（1ウ）に鎌《かま》を納《おさめ》給ひしより。所の名をも鎌倉《かまくら》と
よぶ。其神霊《しんれい》の御鎌を。前《さき》ノ大宮司《たいぐうじ》清主《きよぬし》が守立退《もりたちのき》しゆへ。玉体穏《おだやか》ならずと申スにより。女院《によいん》の御計《はから》ひにて。
陸奥《みちのく》太郎源ノ義朝《よしとも》を。早速《さつそく》鎌倉へくだし給ふ所に。今において帰洛《きらく》せざる事。いぶかしさよと有けれは。
宇治ノ宰相すゝみ出。松が岡の神体《しんたい》の御鎌を尋べき。勅《ちよく》を蒙《かふむ》りし身として。数日江州鏡《すじつがうしうかゞみやま》 山の色里に。逗留《とうりう》
して罷有ル事。彼ノ国の按察使《あぜつし》。伊勢《いせ》平太清盛《きよもり》が訴《うつたへ》。急ぎ彼レに仰付られ。義朝が罪《つみ》を糺《たゞ》し。後来《こうらい》をいまし
め給へと述《のべ》らるれは。
ヲヽ、陸奥太郎義朝は。御分《ごぶん》の娘（2オ）常盤《ときは》ノ前に。云号の聟ならずや。舅の身として其ごとく申さるゝ

は。さん候聟舅の内縁《ないゑん》にかゝはりて義朝をかばふは。君への不忠と存じての我ヵ奏聞《そうもん》。地ウそれ〳〵早く清盛を召出せよとの。フシ仰に随《したが》ひ呼《よび》つげは。地色ウ滝口《たきぐち》にひかへし近江《あふみ》ノ国の按察使。ハル色ウ伊勢平太清盛。武威《ぶゐ》懍々《りん〳〵》たる其骨柄《こつがら》。ハル大紋《だいもん》の袖かき合せ。烏帽子《ゑぼし》うなたれ中伺公《しこう》ある。

詞忠通見給ひいかに清盛。汝も兼て聞及びつらん。義朝太切《たいせつ》なる勅《ちよく》を受ヶながら。鏡山の遊里《ゆうり》に有事其罪軽《つみかろ》からず。急き召捕《めしとつ》て都へ上すべしとの給へは。伊勢平太謹ンで。某も久々都に勤番《きんばん》仕(2ウ)れは。鏡山にて義朝が放埒《ほうらつ》。人の噂《うはさ》に聞し計リ。地ウ我ヵ領内《りやうない》の義なれは。ウ早速事の実否《じつぷ》を糺《たゞ》し申べしと。領掌《りやうじやう》あれは。ウ兼て心を合せたる宰相ハル時長色。詞ホヽ年若《としわか》なれ共清盛適《あつぱれ》成ル申条。遉《さすが》は平家の嫡流《てきりう》。汝が亡父《ほうふ》刑部《ぎやうぶ》卿忠盛《たゞもり》は。鳥羽《とば》上皇《じやうわう》の叡慮《ゑいりよ》に甚《はなはだ》叶ひしゆへ。内の昇殿《しやうでん》を赦《ゆる》され。加之《しかのみならず》本領の伊勢に近江を相添《そへ》。武臣《ぶしん》なれ共按察使に准《じゆん》ぜらるゝ事。地ウ累代《るいたい》武功ハル抜群《ばつくん》に勝《すぐ》れしゆへと清盛を誉《ほめ》中そやし。ウ聟義朝を讒奏《さんそう》するフシ巧《たくみ》の程ぞおそろしし。

詞 忠通公重《かさね》て。今のごとく申付しは公《おゝやけ》の表向《おもてむき》。地ウ 代々源氏の忠勤《ちうきん》に免ンし。ウ 何とぞ義朝が罪を除《のぞく》べき（3オ）筋《すじ》もあらば。清盛よきに計ラはれよ。色 詞 扨宰相には兼てより。帝の御脳平愈の祈リに。江州石山へ参詣《さんけい》の願イ相叶ひ。今日彼ノ地へ向《おもむ》き召るゝはよき折から。時しも秋の最中《もなか》なれは。風雅《ふうが》を好《この》む義朝。地ウ 名に近江路のハル 八ッの美景《びけい》の随一《ずいゝち》。色 詞 石山の秋の月にめでゝ。鏡の宿《しゆく》よりうかれくる事も有へし。密《ひそか》に異見《ゐけん》をくはへ。何とぞ身の申訳を立テさせ召るが。地色中 ウ 聟舅のよしみぞかしと。ウ 仁心深き仰にはつと ハル 宇治ノ宰相。フシ とかふ諸《いらへ》もなき所に。

地ハル 神祇《じんぎ》の史《し》の申次にて。色 丹州《たんしう》竹野の宮造《みやづこ》あはたゝしく参内《さんだい》し。扨も今月朔日の夜。神前《しんぜん》に仕《つか》ゆる斎官《さいくはん》の女に神詫《しんたく》有けるは。朝庭《てうてい》を深《ふか》ク恨ムる者有ッて。東《とう》（3ウ）三条の森《もり》の枯木《こぼく》に釘《くぎ》を打。呪咀《しゆそ》せしに依《よつ》て御脳《ごなう》と成ル。急ぎ其釘《くぎ》をぬき。神道神秘《しんたうじんひ》の疫神斎《やくじんさい》を行《おこな》れは。玉体安穏《あんおん》成べしとの御ン告《つげ》也と。地ハル 大息《いき》ついで奏《そう》すれは。ウ 月《けつ》卿雲客《けいうんかく》一同に是は〳〵と フシ 計リなり。

地色ハル摂政しば色し御思案有。詞誠に竹野の御社は。古への両宮《りやうくう》にて天照神《あまてるかみ》の憑談《かんかゝり》。五十鈴《いすゞ》の流末清《ながれすへきよ》き。君を守リの有難さよ。東三条の森へは。神祇官の職掌《しよくしやう》に命《めい》じ遣すべきが。緩《ゆるかせ》に成難《なりがた》きは。帝を調伏《てうふく》せし曲者《くせもの》の詮《せん》義《ぎ》。源平両家の内にて。地ウ何《いづ》れの武士か然るべからんと。フシ評《ひやう》義まち〳〵成けれは。

地色ハル階下《かいか》にひかへし伊勢平太清盛色憚《はゞかり》なく。詞おぼろけなら（4オ）ぬ朝敵《てうてき》の御詮義。あはれ其義も某に仰付られかし。時日《じじつ》を移《うつ》さず征伐《せいばつ》し。地ハル天気を安んじ奉らんと。事もなげにウ奏聞あれは色摂政殿。詞ホ、潔《いさぎよ》し伊勢平太。望《のぞみ》に任せ申付る間。雲を分《わけ》地を穿《うがつ》て成共。朝家《てうか》の怨敵《おんてき》詮義して。地中家の眉目《びぼく》にウ備ふべしとの。ハル仰にはつ色と頭《かうべ》をさげ。詞君命《くんめい》を受クる日より。寝《いね》れ共席《せき》を安んぜず。食《しよく》すれ共味《あじはひ》をあまんぜざる本文《ほんもん》あれば。是より直クに本国へ立帰り。江州小松の城にて出生《しゆつしやう》せし。嫡子《ちやくし》冠者《くはんじや》重盛《しげもり》と心を一致《いつち》になし。伊勢と近江両国に父子《ふし》引分つて。都鄙遠近《とひゑんきん》の国々迄。細作《さいさく》游偵《しのび》の者を廻し。地ハル吟味《きんみ》をとぐる程（4ウ）ならは。中ウ何条奇異《きゐ》の曲者成共。ハルウさがし出さで置べきかといさみ。すゝんで申さるれは。殿下《でんか》を始め諸卿の面々。フシかんじ入ラせ給ふにぞ。
宰相猶もしたり顔。ヤア清盛。朝敵の詮義も義朝が討手《うつて》も。必怠慢《たいまん》有べからずと。君の威をかる邪知《じやち》弁佞《べんねい》。
ハヽア相心得候と。互ィの心近江路や。石山寺の秋の月。さやけき影の鏡山。人のしがからさきは見へ。
我ヵ身の上はしらぬ宰相清盛の。巧《たくみ》は深き鳰《にほ》の海波も。治まる〽時津風。
雲吹はらふ。石山や。枯木回 岩《こぼくくはいがん》の肩《かた》にかゝり。湖水漫《こすいまん》々と満《みち》々て。霞《かすみ》かゝらぬ十六夜《いざよひ》の。月を見んとて
秋の日も。長くや人の待ぬらん。(5オ)
宇治宰相時長は御脳平愈《ごなうへいゆ》の参籠《さんろう》とて。昨夜《さくや》も爰に月見の宴《えん》。坊官《ばうぐはん》の饗応《もてなし》おもく。石山の参りの人は止《とゞむ》れど。
それに恐レぬ当国の按察使《あぜつし》。伊勢平太清盛の郎等。難波《なんば》ノ新五経高《つねたか》。多くの高札取持せ。いかつげにかけ来
り。コリヤ〳〵。此石山の観音《くはんおん》に宇治ノ宰相殿。夜前の月見より御逗留ときけば。身は密々《みつ〳〵》に申上る義有。
汝等は其高札。此門前に一枚《まい》立テ置キ。残りは先へ持て行。人立有べき所々へ立。どうがめ橋にて待合せよ

と。地ハルはつといらへて家来共札フシをかしこに立ければ。

地色中難波は遙《はるか》にウ門内を打ながめ。アレ〱坂を下りにハル日傘《ひがさ》の見ゆるは。ウ慥《たしか》に宰相殿と家来をよく（5ウ）中れは。ウ門内より出来るハル宇治ノ色宰相。詞ヤア汝は新五ならずや。コハ折もよき御参詣《さんけい》。あれなる鳥居川の辺に。俄にしつらふ御車《みくるま》やどり。地ウ時長卿の御出と聞キハル参上と述ければ。色ヲ、詞清盛にはしらせたれ共。其方は思ひがけない筈。帝の御脳御快気《くはいき》の祈《いのり》といひ立テ。実《じつ》は伊勢平太が。首尾《しゆび》よく義朝を搦《からめ》取しか。其安否《あんぴ》を聞ん為。昨晩《さくばん》より名月を爰に楽しみ罷有ル。イヤもふ義朝は。袋《ふくろ》に入ッた鼠《ねずみ》同前。今朝より鏡の宿クを詮義させしに。彼ノ白拍子式部《しきぶ》めが親花屋の長。何角とちんじ候ゆへ。此近江の国境《さかい》〱に。七十余ケ所の新関《しんせき》をすへ。此ごとく属詫《そくたく》の高札を立。土《つち》を穿《うがち》今詮義最中《さいちう》と。地ハル聞より（6オ）ほく〱中打點《うなづ》き。陸奥太郎義朝さへ罪《つみ》におとせは。ウ平家は自然と時を得て。ハル清盛は武家《ぶけ》の色棟梁《とうりやう》。詞此宰相は摂政《せつしやう》。忠通《たゞみち》をぼつくだして。天下の大小事心のまゝ。地ウア、其時は我々迄もハル出世《しゆつせ》世の花と。フシぞく〱すれば。詞ア、こりや〱新五。其密謀《みつぼう》必々人

に洩《もら》すな。是より某は。辛崎《からさき》の一ッ松へ車を促《うなが》し。今夜はあれに吉左右《きつさう》待んと。難波ノ新五に暇乞。仕丁引
連レ宰相は　車へ〳〵やどりへ別行。
斯クと聞付。九軒屋にひかへし旅人共。とちやおそしと石山詣《まふで》。老若《らうにやく》男女打群《むれ》て。引もちぎらぬ其中へ。
賤《しづ》の女《め》共がさし荷《にな》ふ。茶店《ちやみせ》の道具てつとりばやく。床几《しやうぎ》直《なを》して取出せは。ハア、扨も早い店《みせ》の出し様。
四粒《よつぶ》とやら宰相とやらが下向召れ。人どめが（6ウ）赦《ゆり》て先ッ目出たいと。口々いへはサレバイナ。あの
宰相様の御逗留《とうりう》で。夕部の名月はちや〳〵むちやこ。せめて今夜の十六夜《いざよひ》を目当《めあて》。先ッ口明ケに一つ上ふと
花香《はなが》を汲《くん》でさし出せは。
イヤ是こなたは。石山の九軒屋で。お関といふて名取リの赤鰊鞘《あかまへだれ》。ほんにやれむつちりと。うまさふな女
房盛リに打込ンで。観音参りする度々に。くどいてゐる此男に。茶の入レ花を呑せふとは。いねといふ事か。
ハテ何ンのいな。いつも内を出る時。初穂《はつほ》は仏へ供《そなへ》ます。イヤそんなら猶否《いや》じや。大方前の連合イへ。茶当《ちやとう》

しやつた跡でフシあろとおこりちらして立帰る。
地色ウおくめが気を付色コレ詞お関女郎。あんまり悋気《りんき》して今のお人が。紙入忘レていなんしたと。地中持て走れば参り
の者共（7オ）ハル茶の色銭払ふて立上り。詞ナア皆今のを聞てかと。地ウいふにお関が顔赤らめ。イヱもふおまへ方
の手前も気の毒。ウ死ナれたわしが連合の。事迄いふて。今の様に腹立さんすは。ウほんの無縁法界《ほうかい》悋気でご
ざんすと。いへは皆々打笑ひ別レてヲクリ〳〵こそは行過る。
地ウ跡に残りし旅の僧ハル高札見とれて居たりしが。色コレ母者人。ハル〳〵と呼フ声に。ウお関驚き色ヤアそなたは。詞荒川《あらかは》
寺《でら》の全行《ぜんぎやう》ではないかいの。花の帽子《ぼうし》で顔は見へず。ハア、思ひがけなきは御尤。愚僧が義は願望《くはんもう》有て叡《ゑい》
山《さん》に百日籠《こも》り。只今漸《やう〳〵》帰りがけ。地ウ御無事な体《てい》を見てハル満足《まんぞく》と。いへはウ母は中涙にくれ。ウア、我子の手前もフシは
づかしい。地色中梅津源左衛門ウ貞行《さだゆき》殿の。ハル妻の関屋といはるゝ身が。ウ人の心を（7ウ）汲《くみ》兼る水茶屋の世渡りも。
諸方の噂《うはさ》を色聞合せ。詞何とぞして我カ夫マの盗《ぬすま》れ給ひし。牧馬《まきば》の琵琶《びは》の詮義をとげん為計。ア、もふ其様な廻

り遠い御思案は無用〳〵。此全行良《よき》大将を見立テ主取《しうどり》して。鬼界《きかい》が島でお果《はて》なされた父の鬱憤《うつぷん》はらします。ア、仮初《かりそめ》にもそんな事。声高《こはだか》にはいはぬ物と。母は心を置帨《おきてぬぐひ》赤韎韐《あかまへだれ》と両手に持チ。今天下に大将たるは。此二タ色の外カはない。何《いづ》れを汝が主君《しゆくん》に頼む心じやぞ。いふて聞カしやと問れて全行暫ク思案し。ム、まへだれの赤きは赤旗《あかはた》。手ぬぐひの白きは白ラ旗にたとへてのお尋か。ヲ、いかにも。父源左衛門殿存生の時より。宇治宰相殿へ養子《ようし》にやつて有ル。そなたの妹常《とき》（8オ）盤《は》御前は。女院様の御媒《なかだち》で源氏の大将。義朝殿に云号があると聞ケは。此白ひ帨《てぬぐひ》へ味方しや。サア愚僧《ぐそう》も左は存すれど。今陸奥《みちのく》太郎義朝殿は違勅《いちよく》の科人《とがにん》。ヤア〳〵それは又何ゆへ。ム、まだ御存シないかと。かしこに立たる高札。母の前に直《なお》しおけはつら〳〵と読《よみ》終リ。さつきにから此高札に気の付なんだは是非《ぜひ》もなや。御ン父為義《ためよし》公にも勝《まさ》りし大将と聞しが遉《さすが》は若気《わかげ》。勅諚《ちよくちやう》を蒙《かふむ》つて東《あづま》へ下るべき身で。式部といふ白拍子《しらびやうし》の色に迷ひ。鏡山に逗留《とうりう》有リ行衛しれねは訴人《そにん》せよ。褒美《ほうび》をやろふと此国の按察使《あぜつし》。清盛《きよもり》よりの此属詫《そくたく》。常盤がきかば嘸嘆《なげ》かんと。義朝の身のお

さまり案し スヱテ 過して泣沈 中 む。

詞 イヤ其様にお嘆きなされな。今漂泊《ひょうはく》の義朝殿に御謀反《むほん》を（8ウ）すゝめ。先此国の平家の在城《ざいじゃう》。地ウ 小松の城を攻落し。直ク に都へ乱入今の帝《みかど》 ハル 近衛ノ院《こんゑ》をぼつくだし ウ 。父源左衛門殿の鬱憤《うつぷん》をはらします。色 ア、勿体なや恐レ多《おほ》や。地ハル 父の鬱憤さんずるに。ウ 天子へ弓引ク筋はない。詞 ヱ、何をおつしやる。帝甚《はなはだ》琵琶《びは》を好ミ給へ共。我カ父にはおとりし事を憤《いきどお》り。それゆへに牧馬《ば》の琵琶を預け置。窃《しのび》を入レて盗マせ。それを越度《おちど》に流し者と人の噂に違イはなし。イヤそふじやおじやらぬと。地ハル わつつくどいつ夕暮の。中 鐘の響《ひゞき》に ウ 石山の月ほの〴〵 キンヲクリ と明らけく。

地中 御《み》寺の壁《かべ》に全行が。ウフシ 姿は怪《あや》しき影ぼうし。地色ハル ナフ恐しやそなたの影の。頭《かしら》はどうやら ウ 猿《さる》に似て。ウ はへたる尾先キの動《うごく》は蛇《くちなは》。上 いかなる因果ぞ浅ましやと。ウ 嘆くを制して身動《みうごき》もせず 色 全行律師《りつし》。ハル 斯ク成ルは我カ大願ン（9オ）の叶ふ験《しるし》と。ウ ぐつと伸《のば》せし手足の影。フシ さながら虎《とら》に異《こと》ならず。

ア、さのみ悲しみ給ふな母人。我カ行力キにてあの影人体《にんたい》に変《へん》じ見せ申さんと眼《まなこ》をとぢ。姑蘓魔耶啄《こそまやたく》と秘印《ひいん》を結《むす》べは。獣《けもの》の形チ引かへて。忽チ人の影と成母は不審はれやらず。今のごとく影の異形《ゐぎやう》にうつりしを。大願成就《じやうじゆ》とは心得ず。ホ、今は何をかつゝまん。帝に恨ミをなさん為に此全行。過し仁平《にんぺい》三年の夏都三条の森《もり》に籠《こもり》て秘法《ひほう》を行《おこな》ひ。父母の年が申寅《さるとら》愚僧は巳《み》の年。其刻限《こくげん》を分ッて生木《いきゝ》を玉体《ぎよくたい》になぞらへ釘《くぎ》を打チ。呪《しゆ》咀《そ》の秘法を行ひしによつて。申寅巳《さるとらみ》の時々に脳《なや》む帝の煩《わづら》ひ。本望遂《とげ》しと思ひの外。頼政が弓矢の徳に隔《へだて》られしを世の風説《ふうぜつ》に。頭ラは猿《さる》手足は虎《とら》（9ウ）尾は蛇《くちなは》にて。鳴《なく》声鵺《ぬゑ》に似たりし怪鳥《けてう》を。射《ゐ》たるとは申せ共。此全行が身に別条なきは偏《ひとへ》に行徳《ぎやうとく》のなす所。今頼政九州へ下り大弐《だいに》に補《ふ》せられし折を窺ひ。再《ふたゝび》内裏《だいり》へ仇《あた》をなさんず存念《ぞんねん》にて。古《いにし》へ三井の頼豪《らいがう》法師が鼠と成。恨を報《むくひ》し古《こ》例《れい》を引。叡山《ゑいざん》の鼠櫓《ねずみやぐら》に百日の荒行《あらぎやう》して。願書《ぐはんじよ》を納《おさめ》て帰りし験《しるし》。月の光リに異形《ゐぎやう》にうつりし我カ影は。大望《たいまう》成就の瑞想《すいさう》悦ンで給はれと。いさめは母はわつと泣。それが何ンと親の身で。悦れそふな物成ルか。此世からの畜生《ちくしやう》ざんがい。其悪念《あくねん》をひるがへしてくれよかしとすがり付てむせび泣。
ヱ、めろ〱とよしなき異見《いけん》用ィぬ〱。お暇申と立上れは。コレなふまちやとすがるを振《ふり》切リ一さんにかけ出すを。ヤレまて暫しと（10オ）我子の跡をしたひ行。
水と。空《そら》との二つの月を。舟でながむりや。余念《よねん》なや。恋に心を研《とぎ》みがく。鏡《かゞみ》の宿《しゆく》の。白拍子。式《しき》部《ぶ》が色に忍ぶ摺《ずり》。陸奥太郎義朝の。花麗《くはれい》を飾《かざ》る舟遊ひ浦々。島々暮かけて。石山寺へと漕《こぎ》よする。

義朝は式部諸共渚《なぎさ》に上り。舟方《ふなかた》共を呼出し。コリヤ〱鹿《しか》蔵徳平。どつちへ成共舟を付ヶ女子共に酌《しやく》とらせ。汝等も楽《たの》しめ〱。ハ、有難ひと得手に帆《ほ》を上ヶ二人の舟子。いざ九軒屋の下タへ付。楽《たのしま》ふじや有ルまいかと櫓《ろ》拍子《ひやうし》子揃《そろ》へ急ぎける。

式部は跡を見送てコレナ申。供の者共を除《よけ》ておまへにわしが。問ィたいといふたはな。ヲ、おれも早ふ其様子が聞たいと。尋られてサレハイナ。七年以前此石山へ蛍《ほたる》見にきた時。互ィに名も所もしらぬ。おまへとわしがふとした事で馴《なれ》（10ウ）初《そめ》た。所を覚てござんすか。ヲ、それ忘ﾚてよい物か。あれ月夜影に見ゆるほのぐらい岩陰《いはかげ》。サアあそこへむりにわしが手を引ｨて。是此様にして連ﾚていかしやんした其時は。まだ親の懐子《ふところご》。地下キンはづかしいやらフシ嬉しいやら。地中其初恋に別ﾚた儘《まゝ》で。ハルわしや白拍子に迄中成下《さが》り。逢ｨたい見たいと思ふ矢先ｷウ念が届《とゞい》て。石山の観音《くはんおん》様の御利生にて。ウ今度《こんど》ふしぎに廻り逢ｨしは色深い縁。詞サ、そこに一つの不審がある。つかはしおいた桃園《もゝぞの》の名香《めいかう》は持て居やらず。七年跡に見た生娘《きむすめ》の姿に引かへ。今では袖も詰《つめ》て何も角《か》も。いかふ工合《ぐあい》が替つたゆへ。ム、聞へた。おほくの客《きやく》に座敷計ﾘで堅《かた》ふ色気《いろけ》は勤ﾒぬと。いふてもお気が廻るかへ。地ハルハアはつと計に涙に中くれ。あのウ疑ｨのはれる訳ひよつと隠してハル今と成。ウいふもつらし（11オ）いはぬもうしと。スヱ案じ侘《わび》たる中折こそあれ。

地色ウ気をせき戻る茶店《ちやみせ》のお関。ハル月影に色すかし見て。詞ヤア式部様かヱ、イお関殿かいのと。地ハル思ひがけなき互ｨの恂《びつく》り。ウゆう〳〵たる義朝の御ﾝ有様ウお関は色見て取。詞扨はあなたが。陸奥太郎源ﾉ義朝様かへ。イヱ〳〵。是式部様ン隠さしやんすな。賤《いや》しい世渡りして居れど此関は。荒川寺《あらかはでら》の全行《ぜんぎやう》律師《りつし》が母。先程紛が是へ来《き》て。何角の訳を知ッたる証拠は是之と。件《くだん》の高札さし出せは。義朝取てつら〳〵と読《よみ》給ひ。ハア、思ひよらざる我カ急難《きうなん》。全行が母の関とやら。いしくもしらせし過分〳〵との給ふ所へ。足疾鬼《そくしつき》のごとく渋谷《しぶや》ノ金王《こんわう》かけ来り。ヤア我カ君此所にましますか。扨も平家の大勢勅命《ちよくめい》を蒙《かふむ》り。君を召捕《とら》んと鏡の宿クへ取かけ候へ共。式部殿の親方長が情で。舟遊ひにお出（11ウ）の様子を隠したれは。暫シの御難義は遁《のが》れしか共。近江一国の出口〳〵に。新関をすへたりとの街《ちまた》の風聞《ふうぶん》。是より直クいづくへ成共御立退キと大息ついで申にぞ。さしもの義朝はつと動転《どうてん》。倶に式部も胸ふさがり生《いき》た心地は泣居たる。

関は臆《おく》せず手をつかへ。是より舟路を立退キ給はゝ。女でこそあれ案内勝手は存て居ます。御供仰付られませ。ホ、それこそは望ム所。用意せよと有ければ。心得ましてござんすと。お関はいそ〳〵磯辺《いそべ》づたひ。

義朝大キに力《ちから》を得給ひ。ヤア〳〵金王。汝は式部を鏡山へ送りとゞけ。源氏に縁ある諸士を頼ンで身を忍べ。

我レは舟路《ふなぢ》を落行んと主従出合ふ手筈の詞。式部は別レの悲しさつらさ。君と一所にいかならん（12オ）野の末山の奥迄も相ぐし給へと。嘆くを渋谷が諫《いさむ》るひまに。お関は女と見られじと。人目ふせぎの蓑笠《みのかさ》まぶかに漕《こぎ》くる苫舟《とまぶね》。義朝得たりと乗移《のりうつ》りさらは。〳〵と名残尽《つき》せぬ月の舟。影も次第に遠ざかる。夫トを慕《した》ひ石山の石にも成らん憂《うき》別レ。思ひやるさへ不便ンなる。

遙《はるか》に聞ゆる数多の人音ト。あら心得ずと式部を寺の門内に押隠《おしかく》せは。程なく来るは舟方《ふなかた》の徳平鹿蔵。コリヤ〳〵皆の者。陸奥太郎義朝殿を搦取リ。平家へ渡さは御褒美《ほうび》を下されふとある高札。こちらが舟にのせてきたお尋者。人手へ渡さふ様はないさがせ〳〵とひしめく所へ。金王丸踊《おどり》出。ヤアしやつ頬《つら》見しつた鹿蔵徳平。おらが（12ウ）主君を搦取てほうびにせふとは。及はぬ望ミのうぬらは猿猴《ゑんかう》。似合た様に湖《みづうみ》の。月をながめてとう〳〵帰れとあざ笑ふ。

イヤなめ過た若衆め。念者《ねんじゃ》の様なこちとに雑言《ざうごん》。切さいなんで主の行衛を白状させいと。双方《さうはう》より打てかゝるに事共せず。あたるを幸ィ打つけ投つけ。逃るを掴ンで人礫《つぶて》。ざんぶ〱と波間《なみま》へほふれはぶる〱。ホヽ気味よし〱相手に成者もふないかと。二王門の真中《まんなか》に。すつくと立たる赤ら顔。さながら二王の稚《おさなだち》立共いひつべし。

此体見るより徳平鹿蔵取てかへし。抜《ぬき》つれておつとりまく。ヲヽ〱爰は所も石山寺。むかし源氏物語リで。紫《むらさき》式部は誉《ほまれ》を（13オ）とる。今又源氏の金王は。わいらが首とる観念《くはんねん》ひろげと抜放《ぬきはな》し。としも若《わか》菜《な》のみばへの武士《もののふ》。物々しやと強気《がうぎ》の悪党《あくたう》。ひらり〱と打合せ。透間《すきま》もあらせず桐壺帚木《きりつほはゝきゞ》。はらへは空蝉《うつせみ》てう〱はつしと胡蝶《こてふ》の舞。さつと吹くる秋風にもみに紅葉のがづよき鹿蔵。命は露の玉葛《たまかつら》。腰のつがひを車切リ。見るに逃出す徳平を。ずつはと切たる後袈裟《うしろげさ》かけてぞ頼む。御法《みのり》の巻若紫《わかむらさき》のゆかりある。其名も式部諸共に。いのる大悲のちかひには枯《かれ》たる木にも花散里《はなちるさと》。明石も須磨《すま》も外ならぬ。石山寺の秋の月かつらおとこに引別れかゞみの。宿《しゆく》へぞ帰りける（13ウ）

第二　辛崎の夜の雨

瀲灔《れいゑん》たる湖光《こくはう》玲瓏《れいろう》たる山色《さんしよく》。辛崎一チ夜。模綾《もれう》の手。松風の音ト雨の声。撥音《ばちおと》けたかき。調《しらべ》こそ。宇治ノ宰相時長卿。石山の月見より直ク辛崎に車を廻らし。神に手向《たむけ》の琵《ひ》琶の曲。折から名におふ一ッ松の。夜ルの雨頻《しきり》に降《ふり》て。御燈《ごとう》の光リしん〳〵と神さび。渡るけしき也。

仕丁共眠《ねふり》を覚《さま》し。ナント皆聞カれたか。上様《うへ》は琵琶がお上手《じやうず》そふな。サレハイノ。またしつぽりと遊すそふな。お帰りの時分迄。向ふの在家《ざいけ》へいて居よふと。いふ声車へ洩《もれ》聞へ。ヲ、帰館《きくはん》には間も有べし。罷立て休足《きうそく》せよ。ハア有難ひお赦《ゆる》しじや。是からこちとも引ッかけふ。ムウひつかけふとは。ハテ（14オ）茶碗でひつかけふ。コリヤよからふと。打連かしこへ行水の。

流泉啄木《りうせんたくぼく》の曲をあやつる音ト ならで。ろびやうしの音かいぐ〵しく。蓑笠《みのかさ》打着て水茶屋お関。はげしき波風押切〳〵漕《こぎ》よすれは。

苫《とま》取のけて義朝舟より上らせ給ひ。船中《せんちう》にて段々の物語リを聞に。おことは常盤ノ前が母成とや。死《しゝ》ても忘レぬ今宵《こよひ》の働き悦ぶぞよと有けれは。ハツト涙にかきくれて。再《ふたゝ》び御運をひらき給はゝ。娘常盤を御見捨下されなと。世にしみ〳〵と申にぞ。ホ、、宇治ノ宰相殿と此義朝。心よからぬ中なれ共。実《じつ》の母のおことに免ンじ。見捨る心は。あらぬぞや。其上に荒川寺の全行《ぜんぎやう》律師《りつし》。常盤ノ前が兄なれは頼ムは此時。源氏に（14ウ）由縁《ゆかり》の諸士をかたらひ手筈を極め吉左右《きつさう》せん。必其御便リを。松に音ト そふ辛崎の。よるの雨より身をしる雨。袂をしぼりさらはと計リ。別レ々に成給ふ。

関屋御影《かげ》見送リて。ホンニ常盤が生土《うぶすな》所。此辛崎の御社へ君の武運《ぶうん》の祈《いのり》をと。立よる松の下陰《したかげ》より。関屋〳〵と呼声に。はつと驚き御燈《ごとう》の影にすかし見れは。車の内より宇治ノ宰相。立出給ふ顔さし覗《のぞき》。お久しや時長様。思ひもよらぬ所で。ヲ、それよ。夕部は石山の月御覧なされ。こよいは此辛崎の夜《よる》の雨。歌《うた》枕《まくら》の為お下向《げかう》あそばしたか。ほんに何からいはふやら。常盤ノ前も何事なふ。九条の女院様に宮仕《みやづかへ》。此頃はめでたい噂。幼《いとけない》から養子《やうし》に上ケまして。わたしは此近江の（15オ）ゆかりへ引込ミ気儘にくらせは。どなたへも御ふさた。又其内と行んとすれはコリヤ関屋。ハイまあ待《まて》。ハテ。爰へこい。ハツ。召まするは御用かな。御用かなとは。ヱつらいぞよどうよく者。宰相今は妻《つま》におくれ。独寝《ひとりぬ》る夜のさびしさを。君ならで。コレ。物の給へ恋君と。いだき付ケはついとのき。夫ト源左衛門過行れて後《のち》。御家来四郎殿を以て。とやかふとおつしやつたれ共。イヤ其四郎めは。身がそちに心をかけしを。邪《よこしま》成と諫言《かんげん》せしゆへ。主従の縁切たれは。屋形にはおらぬ。人伝《ひとづて》なしに直キに聞ふ。こりや関屋。相果し夫へ計リ義理を立。娘の常盤はかはいふはないか。

ホ、、、亡《なき》夫を思ひ姫ごぜの道立るも。悪名《あくみやう》を世に残すまい為。いきとし生《いけ》る者子（15ウ）を憐《あはれま》ぬ者ござりませふか。詞サア其かはいふ思ふ娘に連レそふ。陸奥太郎義朝。勅命《ちよくめい》を背《そむく》不行跡禁庭《かうせききんて》に隠レなく。伊勢平太に仰て。此近江一国の海陸《かいりく》に新関をすへ。籠《かご》の鳥も同前。車の内より見付しかど。しらぬ顔せしはそもじを手に入レん為。いやといへは落行し先キはよく知ッたり。仕丁共参れ。ア、申宰相様。地ウ聟や娘の難義も構ぬ。ハルどふよくなお前に。詞ヲ、なびかずはまつかふと。地ウ傍《かたへ》にさがるハル松の枝。色抜打《ぬきうち》にぱつしと切。詞ソレ関屋。地ウ思案してウ返事《へんじ》せよと色刀《かたな》を。フシ鞘《さや》に納《おさ》むれは。

地色ハル木を切て投《なげ》出タす。いらへはスヱテ何と涙ぐみ。中神木《しんぼく》ハルの祟《たゝり》も構はず。ウ松によそへて。ウ現在《げんざい》娘の常盤の松を。まつ此ごとく。詞ヲ、合点がいたか。アイ。どふじや。アイ。地ハル子ゆへ（16オ）にからむ蔦葛《つたかつら》と。中赤らむハル顔にウ会《ゑ》釈《しやく》して。御心底偽《しんていいつは》りなくばウ千年セも替らぬ心なれどウ是より都へウ行道には。守りウ厳《きひ》しき逢坂《あふさか》の関。出るにも入にもウ切手《きつて》なければ往来《わうらい》が色ならぬげな。詞そしてわたしも衣服《いふく》を改め。お屋形へは重《かさね》て。イヤなふ其赤まへたれこそ。取も直さず色直《いろなお》し。関所の事も気遣イなし。地ウ当時伊勢平太清盛とウ入魂《じゆつこん》無二の此宰相。ハル威勢《ゐせい》をし色らぬ者や有。詞一つ車で今宵の中チに。都の館へ連レ帰る。地ウ異《こと》なる恋を取持し。ウ松も是也辛ハル崎の一ト中葉の松。

斯クてはおかじと携《たづさへ》持《もち》。手ハルを引連レて。フシ車の内にいざなへは。地色ウ御帰館《きくはん》の時分ぞと仕丁ハル共追々に。車の前後

にさしかゝり。ウ恋の重荷《おもに》を。押きしり都を。トルさしユリて。

三重〽名にしおふ。地ハル三条（16ウ）通リの殿造《とのづくり》は。中ウ宇治ノ宰相時長卿の御本所《ほんじょ》。ハル昨夜近江路《ぢ》よりウ御帰館《きくはん》ウ迚《とて》車を

直クに御寝所《しんじょ》の。妻戸《つまど》が隈《くま》にやり中付ケて。人忍ぶ恋しめやかに。ウ灯《ともしび》白くひま白く五更《ごかう》の天ウに鳥鳴ィて。フシ夜

はほの〳〵ハルと明渡る。

地色ウ当家の老臣ウ長田《ながた》ノ前司《ぜんじ》利宗《としむね》。年八旬《しゅん》に傾《かたむき》て行歩《ぎやうぶ》心にハル任せねと。出仕《しゅつし》に怠《おこたり》ウ長廊下《ながらうか》。フシしづ〳〵と入来れは。

地色ハルなふ恐しやとかウけ出る。茶道《さどう》の林弥《りんや》が跡につゞいて。ウ婇《こしもと》青葉《あをば》が色色まつさを。詞中々前司様。お局《つぼね》の柵《しがらみ》殿

がじがいして死《しな》れましたと。地ハル聞クに前司はウ奥の一ト間。二人リは跡にウ気味悪《わる》く。立んとすれは詞コリヤ〳〵両

人騒《さはぐ》事はない。局が自害《じがい》は御主人へ対《たい》し。慮外《りよぐはい》せし申訳くるしからぬ事。扨上《うへ》様より只今御（17オ）用

仰付られた。そち達は九条の女院《にょいん》様の御所へ参り。常盤《ときは》御前のお目にかゝり。御ン父宰相様。急に御対面《たいめん》有度キとの御事。早くお下《さが》りなされといへ。何事も沙汰なし。きつと申渡しぞ。早く〱と追やつて。猶も心を築山《つきやま》の。芝《しば》に足形《あしがた》さんを乱す。血汐《ちしほ》をしたひよく見れは。宰相殿の御佩刀《はかせ》。朱《あけ》に染つて鍔際《つばぎは》迄。塀《へい》にさつくと突立《つき》たり。扨こそ〱曲者《くせもの》め。塀を乗《のつ》て逃たる道筋追《おつ》かけふか。イヤ〱。身共がおらいでは誰レか此義を申上ん。何ン分ンに当家の姫君。常盤御前の御帰りを相待。其上の思案ぞと。血刀《ちがたな》を取隠す折こそあれ。

奏者番《そうしゃばん》罷出。六条ノ判官為義《ためよし》の（17ウ）お使者。只今是へと案ン内に。前司は席《せき》を改メて。六条殿より使者の侍《さむらい》誰レならんと。待も程なく。袍《うちかけ》姿。しと〱と。口覆《おほひ》せし一つの壺《つぼ》。かしこに直させ手をつかへ。

主人六条ノ判官為義申越シまするは。こなたの御息女常盤御前様。女院様の御挨拶《あいさつ》で手前の若殿《わかとの》。陸奥太郎義朝と婚姻《こんゐん》の事。早速輿《さつそくこし》を迎《むかへ》ませぬもちと訳有て。まづ結納《いひいれ》の印シ迄に主人が領国。河内ノ国坪井《つぼい》の名酒《めいしゆ》。

此お館《やかた》のお為に成ル物余人《よじん》に渡すな。前司様へ直キに渡し。其上で首尾見合せ。宜《よろ》しう事を計《はか》へとの仰。
地ウ 使ィの功《かう》も立ッ様に。ハル 御受納《じゆなう》なされ下されよと。故有《ゆへ》げにぞ相述る。
詞 ムウ御口上の趣キ承知《しやうち》致た。（18オ）して其元は奥女中か。又御家人方の妻《さい》女か。アイ。私は三浦ノ介が娘。
おさだの四郎が女房小夜鶴《さよつる》と申者。おまへの嫁《よめ》でござります。ム、扨はそなたが嫁なるかと。地ハル いはんとせ
詞 しがハ、、、、。主人のお気に違ひ勘当致た。身共が躮はながたの四郎。お身が夫トはおさだの四郎。苗《めう》
字《じ》が違ひ申た。ア、成程夫トが苗字の違ィし訳は。此お屋形に奉公《ほうこう》の内。宰相様の御機嫌《きげん》に背《そむか》れお暇が出て。
立寄ル方もなかりし時。六条ノ判官様のいかいお情。わたしも其頃より親に隠して忍び合ィ。ぬし諸共に侘《わび》
住居。其折からお前様よりみつぎのお金給はつて。イヤサそりや何おいやる。勘当の躮に（18ウ）合力し
た覚はないぞ。サアそれでも金に添ィしお文は。ぬしの妹御置霜《おくしも》様のお手。ハレ合点のゆかぬ。それは又
いつの頃。ハアそんならおまへにはほんに御存じないかへ。先去々年《さきおととし》の春の頃。お礼申ス為にと思ひ。お

文を持て参じました。どれ〳〵是へと引取て。老眼《らうかん》にためすがめ。成程娘置霜が手に紛レなしと。聞に小夜鶴かんじ入。テモ兄孝行《かうく》な妹御。其金で身の廻り調へ。一生牢人《らうにん》では朽果《くちはて》ぬと。以前の御恩もあれは。為義様へ近い頃より御奉公。此お屋形へ憚《はゞかり》有と。ながたの文字を其まゝ。おさだの四郎と召れ。今では源氏の御家人なれ共。心懸りは父御の勘当。折もあらは侘がしたいと兼て（19オ）の願ひ。不便な事と思召聞届ヶて給はれと。いふに前司ずんど立。置物の盆石《ぼんせき》取出し。コレ是を見よ。此石の高き所を親となし。ひきゝ方を子となぞらへ。親子の形《かたち》を顕《あらは》せ共。主君の威光《ゐくはう》でまつかうと。何ンの用捨も荒鍔《あらつば》にてくはつしと打わり。コレ此ごとく。離々《はなれ〴〵》に成た親子の中は。丁ど石の破《われ》たるごとく。鎹《かすがい》漆《うるし》でも接合《つぎ》されぬ。去ながら。当家の役に立ッ一つの功を立テたらは。はて勘当は赦リそふな物。お使者そふは思はれぬか。ハア、いかにも。夫トおさだの四郎一つの功を立られなは。サア今ゆつた通り。罷立て思案召れ。あれ〳〵常盤の御さがりと。よくるに是《ぜ》（19ウ）非《ひ》なく小夜鶴は。一ト間の内に松の間の。

枝もふりよき。彩色《さいしき》にかゝやく。雪の御ン顔ばせ。振袖姿《ふりそですがた》汪洋《おほやか》に天性緑《てんせいみどり》の色深き。松によそへし常盤ノ前。

附々《つき〴〵》を外様《とざま》に残し。奥御殿に入リ給ひ。

父上より急ぎのお使イ。何事か気づかはし。前司そなたはしらずか。イヤ其使イを立テしは拙者め。先ッお悦びなされ。御舅為義様より此進物《しんもつ》と。右の始終《しじう》を具《つぶさ》に述《のべ》。まだ〳〵御目にかくる事。必驚き給ふなと。寝《しん》所《じよ》の隔《へだて》おし明れは。朱《あけ》に成たる宰相の御死骸。ヤア父上をたが切た。是なふ前司何者の仕業《しわざ》ぞや。痛《いたは》しの御有様。近江路へお出の時暇乞にさがり。お顔見たのが見おさめで（20オ）有たかと。押動《うごか》し〳〵嘆き給へは前司も倶に。不覚《かく》の涙とゞめ兼。夜前江州《がうしう》より御帰館《きくはん》と承り。早速《さつそく》参り候へは。車を直クに寝所へよせよ。前司罷リ帰つて休めよとの御意。今朝出仕《しゆつし》致せし所早事きれ給ふ。御枕本《まくらもと》に此一ト枝。よく〳〵見れは一葉の松。隠レなき辛崎《からさき》の神木《しんぼく》。手折《たおら》せ給ふ神の祟《たゝり》か。又恨ある者の仕業か。常《つね》に御身を放チ給はぬ。御秘蔵《ひさう》の琵琶《びは》をも盗ミしと覚たり。日頃の積悪《せきあく》御身にせまり。浅ましの御最期と。老イの齗《はぐき》をかみしめて。

無念涙にくれければ。

常盤は悲しさやる方なく。自《みづから》程父母に縁の薄《うす》き者はなし。実《じつ》の父源左衛門様は。遠き島で（20ウ）御最《さい》期《ご》。本ンの母上関屋様はお顔も見しらず。稚《おさなひ》より此屋形へ養《やしなは》れ。御恩深き仮《かり》の母様に去年《こぞ》の秋。別レて間《ま》もなふ又父上の。かゝる非業《ひこう》の此有様。十年余《あまり》の御養育《よういく》に。手習ふ事詩歌《しいか》の道。漸《やう〱》に弁《わきま》へ女院様に宮仕《みやづかへ》。九条の曹司《ざうし》といはるゝも。一トかたならぬ深き御恩。御ン身の非道は兎《と》も角《かく》も。義理のある父上の。敵を討《うた》では道たゝず。とはいひながら姫ごぜの誰レを力《ちから》。我カ夫《つま》の義朝様は都にはましまさず。心に任せぬ憂身《うきみ》のうへ。何とかならん悲しやと。涙は雨と振袖にしのぎ。兼させ給ふにぞ。

ホヽ其御嘆きは去事。敵討の御供すべき前司めは。八十に余《あま》る老ぼれ。（21オ）まさかの時の足手まとひ。とやせん角やと主従が。嘆き沈《しづ》めは一ト間より。申々敵討のお供は有と。立出るは長田《おさだ》が妻。ヤア小夜鶴そもじはまあいつの間に。アイ。最前よりの様子を聞キ。前司様の仰のごとく。夫トが一つの功《こう》を立るを見給へと。地ハル 盆石《ぼんせき》取て打付れは。色 壺《つぼ》打破《われ》て内より出る長田ノ四郎。ウ ハル 女房が袙《うちかけ》に。隠し持たる大小ぼつ込末座《ばつざ》に 色 直り。詞 司馬《しば》温公《おんこう》の智略《ちりやく》に似たる妻が才覚。此忠宗《たゞむね》が思ふつぼ。今朝未明《みめい》に。主君六条ノ判官殿。大内の宿《との》直《ゐ》よりのお下《さが》りに。此屋形の塀《へい》をのりこへ逃行し曲者。ほのぐらけれは分明《ふんみやう》には見へされ共。必定《ひつぢやう》凶変《けうへん》。行向つて力《ちから》を添《そへ》よとの。仰は（21ウ）受ヶても日陰《ひかげ》の某。君父《くんぷ》への憚《はゞか》りあれは。軍中《ぐんちう》の壺聞《つぼきゝ》の例《ためし》を以て。壺中《こちう》に忍び来りし所。案《あん》に違はぬ御難渋《なんじう》。常盤御前の御供申。地ハル たとへは敵雲の裏《うら》。ウ 水の底《そこ》に隠るゝ共尋出し。ウ 安々討《うた》せ奉らんと。フシ さもいさましく相述れは。

地色ハル 小夜鶴さしより此はづみに ウ 勘当御免ン。頼上ると願ふにぞ。中 詞 ヲヽ其義は前司が所存にある事。して聟君の身の上は。さん候陸奥太郎義朝公。勅命《ちよくめい》を受ながら。東《あづま》へは下り給はず。江州鏡山《かゞみやま》の白拍子《しらびやうし》に迷ひ。長々の御逗留《とうりう》。何がな源氏の越度《おちど》を窺ふ。伊勢平太清盛が計ラひにて。今せんぎ真最中《まつさいちう》と。地ハル 聞に悲しき常 ウ 盤のまへ。夫トの放《ほう》（22オ）埒《らつ》諫《いさむ》るは妻の役。ウ 鏡山へ尋行。ウ 義朝様のお目にかゝり。色 詞 其上で敵のゆくゑ。

琵琶を印《しるし》に尋るにも。長田夫婦が力ぞや。是前司。何事も了簡《りやうけん》して。勘当赦してやつてたも。ア、有難き御挨拶。いで敵討の門出《かどいで》に。前司めが餞別《はなむけ》と。指添弓ン手《さしぞへ》に突立れは。こは何ゆへと三人が。あはてすがるを押のけ突のけ。ヤイ躮。勘当を赦した悦べ〳〵。イヤ勘気御免は有難けれど。御切腹《せつふく》はナ、何ゆへ。ヲ、勘当赦して其方を。腰抜の子にせまい為さ。主君を討れのめ〳〵とながらへる。知行盗人と訕《そしら》る、。親の恥は子の恥辱《ちじよく》清むる為の我カ追腹《おいばら》。最前より暫シの内。臆《おく》（22ウ）病《びやう》をかまへ生延《いきのば》はつたれはこそ。常盤御前の御身の上。そち達夫婦に頼ミおき。今こそ安心《あんじん》安座の臨終《りんじう》。是を思へは時に望ミ品により。退《しりぞ》きす、むも。臆病ならず比興にあらず。兎に角命まつたふして。御先途《せんど》見届ケくれよかしと父の遺言《ゆいげん》。肝《きも》にこたへて長田ノ四郎。須弥《しゆみ》より高き大恩に。又ぞや我レゆへ御切腹。冥加《みやうが》の程の恐レ多しと夫トが嘆き。わたしは嫁といふ名計リ。一日お傍《そば》に仕へもせずお別れ申す。名残おしやと小夜鶴がなくねと倶に常盤のまへ。父母の養育《よういく》にも。まさりこそすれおとらぬ人。別る、事の悲しやと。血汐の袂にすがり付。三人リの嘆き六つの袖。しぼる（23オ）なみだぞあはれなる。

ヤアおろか〳〵。義理ある父の御かたき。討ふとある健気《けなげ》のお詞。聞てしするが未来のみやげ。此外にまだ汝等に頼おくは。妹娘の置霜が事。四年以前より家出して。大津柴屋町の。傾城となつて居るときゝしが。さいぜん嫁に。様子を聞ィて思ひ合すれは。兄へみつぎの金は。妹が身の代ぞや。今よりおさだ夫婦が中の娘にして。置霜めが流牢《るらう》せぬ様に。頼む〳〵とばかりにて。くるしき中に子を思ふ。父の恩愛妹がしんせつ。きくにいやます身のかなしさ。ハヽア御気づかひ候な。置霜は此長田が娘（23ウ）となして。流牢いたさす事ではないと。いふに手おいは顔につこり。ヲヽ嬉しきふうふが其一言。未来へおもむく。引導《ゐんだう》ぞや。息ある内にひめ君の御ン供申。たちのくを見て死《しに》たい。はやく用意とすゝむれは。常盤はつきぬ別れのなみだ。

長田心をとりなをし。あの御《み》くるまに。宰相殿の御尊骸《そんがい》もろとも。常盤様もめし給へ。ひぐらしの平等寺《べうどうじ》は当家の御家門。一ト先あれへお供申さん。ヲ、それこそはよきはからひ。御廟《びやう》参のくるまと見せ。あれより三人。心しづかにたびたつて。義朝公（24オ）にめぐりあひ。かたきのゆくゑは御見しりの。琵琶をしやうこに。常盤様。御合点か前司。さらは。〳〵と打つれ庭に。おりしももよほす。雨《あま》げしきつゆもなみだもとゞまらで。其人こひし。秋の風おきなさびたる両眼《がん》を。またゝきもせず。きり〳〵とひきまはせば。是なふしばしと小夜鶴がたもとにしほるからさきのまつの。ひと葉にふたおもひ。あの世へいそぐ老ィ木のまつこの世にさかゆる常盤の松しぐれを。しのぎ出て行（24ウ）

第三　常盤ノ前道行

君ゆへに思ひならひし。うき事を。恋とや人の口の葉《は》に。かゝりつながる。縁の糸。しめて寝《ぬ》る夜のいつかはと。はてし涙の身のうさを。かぞへ〳〵て四つ五つ。九条の曹司《ざうし》常盤《ときは》の前。まだ十七の細眉《ほそまゆ》の。月の都を。立出て。夫マの行衛を尋んとならはぬ。道のちからには。長田《おさだ》ノ四郎忠宗《たゞむね》夫婦わかい同士《どうし》のきさんしは。どれが主《しう》やら家来《けらい》やら。浮世模様《もやう》を一やうに。やつす姿の薬売《くすりうり》。神の誓《ちかひ》の石清水《いはしみづ》。ながれも清き源トの君を。したふて二度丸。近江路（25オ）へさして行道の人目。忍べど目にたつは実理《げにことは》りや大内に。美人揃《びじんぞろへ》の有し時。千人の其中よりひとりすぐれし御ン姿。ゆきかふ人のふりかへり。見かへる旅の。気あつかひ身のしがつゝむ丸薬《ぐはんやく》の。功能書《こうのうがき》を押披《おしひら》き。サア〳〵めせ〳〵やはたの名方《めいはう》二度丸。則チ此荷箱《にばこ》にかざりし居合刀《ゐやいがたな》が。男山正八が家の目じるし。抑《そも》〳〵此御《み》薬リの義は。忝クも正八幡宮《まんぐう》の御夢想《むさう》。男山の山《さん》上《じやう》に涌《わき》出る五つの神水《じんずい》を以テ。調合《てうがう》いたしたる妙薬《めうやく》。万病に用《もち》ひて治する事神《しん》のごとし。添《そへ》には嗅《かゝ》と妹が。先ッ口上をお聞キなさい。○いかにもぬしがいはるゝ通り。取分ケ女中様方の。恋の妬《ねたみ》や疳積《かんしやく》（25ウ）には。思ひ流《なが》すが第一なれば。川の水にて用イてよし。よしや浮世にいひつたふ。むかしの人の悪性《あくしやう》の古跡《こせき》を残す女郎花《おみなへし》。小野頼風《おのゝよりかぜ》といへる人。二人 やはたと都に二人リの妻《つま》月よ花よのたのしみが。いつの頃より片思ひ。

○都の妻は恨ミつゝ。放生《はうじやう》川へ身を投《なぐ》る。△頼風驚き引上ケて。此御ン薬をあたふれば。二タ度詞をかはせしゆへ。それで名方二度丸と。中ス也。

○求《もと》め給へや。△買《かい》給へと。二人 常盤のまへと小夜鶴《さよづる》がいとなまめける売声《うりごへ》は。流るゝ。水の賀茂川や。すへ白河を打渡り。あはた口にも着キしかは今はたれをか松坂や。関（26オ）のこなたと思ひしにあとに。成ゆく。音羽山うたの。中山あれかとよ。君とわれとが。中〳〵も。いつか逢《あひ》見ん。二度丸　はや見へ渡る。にほの海ちぶね百舟《もゝぶね》。出入ルや。なみまの。月を三井寺と。風にもれくる順礼《じゆんれい》の。歌も幽《かすか》に聞ふれば。つくりしつみも。ちり〳〵〴〵に是も大悲《ひ》の誓ィぞと。聞クに付ても殊勝《しゆしやう》さよ。いとゞ涼《すゞ》しき。秋。のゝに。すゞむし松虫。きり〴〵す。なく夕影《ゆふかげ》の山科《しな》の里いそがしく賤《しづ》の女《め》が。ひろふ菓《このみ》は何々ぞ。いがくりさゝ栗《ぐり》どん〳〵くりゐだ打おろしのこねり柿《がき》。みかんかうじたちばな。（26ウ）つめたふておもたふてなさけなやつらや。早ふござんせこちの人様よ。　あれ〳〵世渡る賤さへも。いもせの中のむつまじや。うらやましやと打しほれあゆみ。兼させ給ふにぞ。

○小夜鶴いさめ参らせて。なふ是御覧ぜ。　きりま。がくれにあれ。辛崎《からさき》の一松。御ン生土《うぶすな》の神社《かみやしろ》よるの雨程しつぽりと。廻り大津の。とこの内。ひよくかたらふ鳥居川。心を合せ御ン父の敵も。やがて打出《うちで》の浜《はま》いざゝせ。給へと。［二人］忠宗諸共御ン手をとれは。心ときめく常盤のまへ。嬉しさよづる打連レて関路《せきぢ》を。さして　〱急るゝ（27オ）

三井の晩鐘

湖面朦朧《こめんもうろう》として書《ゑがけ》共なさず。昏鯨《こんげい》高く響《ひゞき》て園城《おんじやう》を出《いづ》。げに唐《もろこし》に名も高き。西湖《せいこ》にまさる琵琶《びは》の海。其八景の一つなる三井に隣《とな》れる。逢坂《あふさか》の。関所《せきしよ》を預かる当番は。清盛の家来上総《かづさ》ノ介景純《かげずみ》。四ノ宮川原《がはら》山科《しな》を限

り。ウ山の手に乱株高垣《らんぐいたかがき》。ハル兵具《ひやうぐ》ひつしと立ならべ。遠見《とをみ》物見の諸役人。眼《まなこ》を配《くはつ》てウひかへしは。フシ事厳重《げんぢう》に見
へにける。
地色中ウ上総ノ介家来岩塚《いはづか》ハル兵内を色近付ケ。詞兼て汝もしる通り。此逢坂の関は古来《こらい》より有ッて。往来《わうらい》を改《あらた》むる所に。此度陸奥太郎（27ウ）義朝。鎌倉《かまくら》下向と偽り。東国に逗留《とうりう》して遊興奢《ゆうけうおごり》。禁庭《きんてい》に隠レなく。主君伊勢平太清盛。小松の城に有ながら。義朝を吟味《ぎんみ》の為。都より来る者は六波羅より切手《きつて》を出し。元トより此近江一国の。出口〳〵に新関《しんせき》をすへらるれば。義朝は網《あみ》の鳥も同前。先ッ東ンは蒲生郡《がまふごほり》。東横関鈴鹿《よこぜきすゞか》の関。西は高島郡リ山中《やまなか》の関。南は栗本《くりもと》郡リ関の津。北は浅井《あざゐ》郡海津《かいづ》の関。各〳〵《おの〳〵》譜代《ふだい》の御家人をさし置るゝ。中にも此逢坂の関は。上総ノ七郎景清《かげきよ》。此景純《かげずみ》を始め越中瀬尾《ゑつちうせのを》。難波《なんば》ノ新五経高《つねたか》五人が預り。時替りに勤《つとむ》る間。汝等も不念なき様に改べしと有ければ。何が扨御念に及ず。義（28オ）朝が由縁《ゆかり》の者迄。よく覚たる某。地ハル急度《きつと》吟味を遂《とげ》申さんとわれフシはがほに相述る。

折しもあれ都の方より走井《はしりい》の。汗水《あせみづ》たら〳〵急ぎ足。飛脚《ひきやく》と見へて三度笠《さんどがさ》。ぬいでさし出す出切手《でぎつて》を。兵内取て見改め。是は六波羅役所の判。どこからどっちへ行ク者と。問れて声も高倉《たかくら》から。駿河《するが》ノ国へ参る者。それで足がら三里より。ふじに病ィを切艾《もぐさ》。でつかりすへたは急用に。違ひ梨子地《なしぢ》の状箱を。持てひらいた関の門飛がごとくに急行。

向ふへ見へたる丸鏡《まるかゞみ》。杖《つへ》に御幣《ごへい》を結《ゆひ》付ヶて。椚烏帽子《もみゑぼし》着た白張《しらはり》が。是やこなたへ御免ンなろ。是は鹿島《かしま》明神のあらたな託宣《たくせん》国々へ。ふれて（28ウ）廻れは諺《ことはざ》に。口のまめなを事触《ことふれ》共鹿島〳〵とかしましき。鈴鹿《すゞか》の関から貰《もらふ》たる割府《わりふ》は慥《たしか》な証拠《しやうこ》には。ゆるぐ共よもやぬけじの要石《かなめいし》。鹿島の神ミのあらん限リは誓ィの通り。自身に気遣ィない者でござりや申スと口早《くちばや》に。ごたくばつてぞ通リける。跡へくる〳〵東《あづま》から。京上りの所化《しよけ》の僧。たはんの所望《しよもう》に一判《いつぱん》の。切手に嘘《うそ》も繕《つくろひ》も。みぢんけのない坊ン様〳〵。ちとたしなまだこてつぺいから。通れ〳〵に返答《へんたう》は。はいちと計リいひ捨てとつかは〳〵急ぎ行過る。

都のかたより。いきせきと来る女が韍韐《まへだれ》に。包《つゝ》めど知レた鳴物《なりもの》の。琵琶を小脇《こわき》にかい挟《はさ》む。裾《すそ》もほら〳〵すた〳〵息《いき》。人々に云（29オ）訳もなくつゝと通るを兵内が。コリヤ〳〵女。太切《たいせつ》なる此関所。切手を出さず通らんとはのぶといやつ。ソレ引戻《もど》せと下知すれは。はつと答《こたへ》て立かゝるア、是待て下さんせ。ても扨も気疎《けうとい》お咎《とが》め。私が事は石山の麓《ふもと》に隠レもない。九軒屋のせきといふて伊勢参宮《さんぐう》おりのぼり。往来《ゆきゝ》の人目に立て数年《すねん》うれた顔なれは。お前方も知ッての筈。他所の者かと留メなさるゝは。ホヽヽヽほんに麁相《そさう》な関守《せきもり》様。いかきの異名《ゐみやう》で水がもる。よふ顔見知ッてといひ紛《まぎら》し。行んとするを上総ノ介。ヤア女待ふ〳〵。儕レ当国近江《あふみ》の者ならは。他国《たこく》する時遣《つかは》した出切手がある筈。無益《むやく》のほうげたゝかんより。サア（29ウ）それ見よふ早く出せ。成程〳〵十日以前に都へ行時。太鼓《たいこ》程な判の有ル物貰ふたが。今くる道でつい落した。ヤアまだこいつとぼけた頬《つら》で大キな計略《けいりやく》。ソレ家来共。そやつが持た物こなたへと。取上ケてためすがめ。下賤《げせん》の女に不相応《さうおう》な此琵琶。殊に衣類《いるい》はなま〳〵しき血《のり》まぶれ。彼レ是せんぎのある女子細《しさい》ぬかせときめ付れは。

ハテ色々の御せんさく。恥をいはねは理が聞へぬと御不審受ヶてひまどれは。内へいぬるに気がわくせきが身の上咄《うへばなし》。かいつまんて申ましよ。私が伯父《おぢ》は。都六条数珠《じゆず》屋町。常《じやう》ノ闇検校《やみけんぎやう》といふて琴三　絃《ことしやみせん》はいふに及ず。琵琶に妙（30オ）を得られしゆへ。洛中洛外《らくちうらくぐはい》図子小路《づしこうじ》。堂上　方《たうしやうがた》屋敷方。貴人高位《きにんかうい》の御前へ召れ。秘曲《ひきよく》の名取肩《かた》で風。吹付《ふきつけ》る内証《ないしやう》よし。上《うへ》見ぬわしが伯父坊《おぢぼん》につゞく法師《ほうし》もなかりしが。好物《かうぶつ》に祟《たゝり》なしと世間のたとへは嘘《うそ》のかは。あなたこなたの御馳走《ちさう》に。さいつおさへつ強《しい》られて呑ムに上つた大酒《おゝざけ》が。積《つも》り〳〵て内疽《ないそ》とやら。吐血《とけつ》が凡《およそ》一石六斗三升五合五しやくの骸《からだ》を亡《ほろぼ》して。十日以前についころり。脈《みやく》はあがれど息がする。ヤレ医者《いしや》よ鍼竪《はりたて》よと。家内《やうち》の騒ぎ上を下タかへらぬ事をくど〳〵と悔《くやみ》泣々伯父嫁《おぢよめ》が。欲頬引張《よくづらひつぱる》むどく心箸《はし》かたしちらさはこそ。まん丸取リにしくさつ（30ウ）て漸《やう〳〵》　形見の印シとて。恩にきせてくれたが其琵琶。わしらが持ては猫に小判《こばん》何ンの役にたゝね共。朝夕《あさゆふ》伯父が手にふれし形見と思ひ出す度《たび》に。ゑかうの種《たね》と持チ帰る。此身にべた〳〵血《ち》の付イたは。其時あはてゝ抱《だき》かゝへ。撫《なで》つ按《さす》つ看病《かんびやう》した心の内の悲しさを。御推量《すいりやう》遊せと口に出《で》次第《しだい》嘘《うそ》八百。袂を顔におい〳〵と出《で》もせぬ涙しやくり上。むしやうに泣ケは兵内もほろりとこぼす一ト雫《しづく》。有合ッ下部も諸共に目を摺《すり》こするぞ愚《おろか》也。

上総ノ介ゑせ笑ひ。ヤ小ざかしき女め。身に覚有ル悪事をつゝみ。弁舌《べんぜつ》を以て欺《あざむ》き通らんとは不敵〳〵。最前から此琵琶に心を（31オ）付て見るに。中々平人の持べき器物《きぶつ》にあらず。察《さつ》する所人をあやめ。盗ミ取たで有ふがな。今詮義の仕様《しやう》もあれど関所なれは往来《わうらい》の妨《さまたげ》。殊に役替りの時刻《じこく》も近付ケは清盛公の御前へ引。速《すみやか》に白状させせん。ソレ縄《なわ》ぶてといふやいな。畏《かしこまつ》て兵内が。早縄かけて高手小手。引すゆる時も時。奥に時計《とけい》のりん〳〵〳〵。数は。三つ四つ五つ六つ七つ頭《かしら》の役替り。上総ノ七郎景清が家来。鳴見《なるみ》丹蔵供人引連レかけ来り。

主人景清。時替りの役義早速勤番《きんばん》申べき所。洛東清水寺《らくとうせいすいじ》へ詣《まふで》しゆへ追付罷越スべし。遅参《ちさん》の段御免ン下さるべしと慇懃《いんぎん》に相述（31ウ）れは。コレハ〳〵一家の中に叮嚀《ていねい》なる仰。誠に景清の事は。兼て清水観世音《きよみづくはんぜおん》を信仰《しんかう》有ッて。公事《こうじ》に暇なき中にも。怠《おこた》らず参詣《さんけい》召る丶事世の人のしる所奇特《きとく》〳〵。来らる丶迄是に相待ッ筈なれ共。詮義のある此女。清盛公の御前へひけは心せく。暫時《ざんじ》の間タは御辺に関所を預くる間。油断《ゆたん》なく勤番《きんばん》あれといひ含《ふくめ》。ソレ縄付引ケと打連レて小松の〽城へ急ぎ行。

長田ノ四郎忠宗は女房諸共常盤御前を介抱《かいほう》し。何とぞ君に二度丸。逢せんものと身をやつす薬リの。荷箱肩《かた》にかけ小腰かゞめて行過るを。主《しう》に代《かはつ》て鳴見丹蔵大へいらしくコリヤまて〳〵商人《あきんど》。都より来りなば。六波羅の出切手有ルかと咎《とがむ》（32オ）れは。イヱ私は八幡《やはた》の住人《ぢうにん》。男山正八と申て隠レもない薬売リ。近江一国の浦々端々《はしぐ》。数年ン仕《し》にせて置イたれは。月の内には二三度も此関を通りますれは。頬《つら》にお見知リあるゆへ切手も割符《わりふ》も入ませぬを。今改メて御吟味はいな事と思ふたが。見れはつらりとお顔が替つた。ヱ丶扨は新米《しんまい》のお役人じやなと。いふに丹蔵打點《うなづ》き。成程〳〵身は時替リの役人なれは。家来共に至る迄儕レが頬《つら》は見しらぬ筈。毎度此関を往来《わうらい》する商人とあれは子細も有まじ去なから。召連レた女は何者。ハテしれた事。きやつは我等が大事のおか様。次は妹でござります。ム、あの跡なるは妹か。ハテよい器量《きりやう》サテ見事。はへぎはの（32ウ）けたかさ。目もとなら口もとなら玉を延《のへ》たる顔《かほ》かたち。妹とは大キな嘘《うそ》。推量《すいりやう》するに今美人《びじん》の聞へ並《ならび》なき。常盤御前で有ふがなと。いはれてはつと見合す顔。小夜鶴が眴《めまぜ》でおさへつがもない事ばつかりおつしやる。聞及ぶ常盤御前は宇治ノ宰相様のお娘御。義朝様の妻とやら。そんなお方が此様な。さもしい形リで薬売リ商《あきなひ》なされふ筈がない。ナフこちの人。そふ共〲。妹めがちつくりとしぶり皮《かは》かむけたとて。常盤で有ふとおつしやるには何ぞ証拠が。サアそれは。ソレハとは。イヤ何も証拠はなけれど。あんまり美《うつく》しさに。ハ、、、、。イヤ物じやはい。云ィ出すも近頃《ちかころ》こつぱづかしいが。あの女に此丹蔵すとんと首（33オ）だけいき付ィた。コレハ〲。見る影もない私風情が妹を御所望《しよもう》とは。冥加《みやうが》に叶ふた事ながら。彼レめにはとつと前から云号の男があれは。此義は御赦《ゆる》されませふ。ヤとかふいふ内《うち》日も傾《かたむ》く。せめて膳所《ぜゞ》迄売リもつて。ぜゞまふけせにやならぬ。サア〳〵こいと引立るどこへ〳〵。不得心《とくしん》なりや弥《いよ〳〵》気ぶさい。其云号が義朝で。きやつが常盤で有ふもしれぬ。急がは儕レ計行ケ。女は是にとめ置イてとつくりと吟味する。コレハ迷惑《めいわく》。と有て残して行れもせず。ハテこちの人こな様ンは先キへいかんせ。何程詮義なされても覚なければは気遣イない。コレかふ〳〵して跡から行クと吹込メは。ヲ、それ〳〵。あのお役人様が仮《かり》にもほ（33ウ）の字と有ルからは。手あらい事はなされまい。妹が事を此兄が傍《そば》できよろ〳〵見ちやおられぬ。そこらはそちが才覚で。コリヤ〳〵。かふじやが合点かと。互イにさゝやき點《うなづき》合イ。てつとり早ふ追付こい。石場《いしば》で待ッと云合せ荷箱引かけ急ぎ行。

サア〳〵けむたい兄めをやつたりやらく。常盤でないと見たれ共とめ置ふ計の方便《てだて》。此丹蔵が命取。思ひをはらしてくれめせと。否《いや》がり給ふ常盤をむりに下番《したばん》の。物見の陰《かげ》へ引立ッれは。コレなふ無体《むたい》と小夜鶴も跡につゝいで入にける。

虎豹《こへう》の駒は生獣《せいじう》に克食 牛《かちしよくぎう》の気有とかや。若年《じやくねん》なれ共諸士にこへ智勇《ちゆう》をかねし上総《かずさ》ノ七郎（34オ）景清。音羽《おとは》山の流レにつゞく関の小川《おかは》の岸根《きしね》を伝ひ。清水詣《まふで》の下向道。遠目に見れは逃出る女に取付ク家来が不義。ヱヽ我カ代リを勤メながらにつくいやつと。窺イよる共しらはこそ。猶付まとふ丹蔵が。がんづか掴ンで投のくれは。はつと仰天頬《つら》赤らめ。起《おき》上るをおこしも立ず。捻棒《よりぼう》取延りう〳〵。はつし〳〵とぶちのめし。大切なる役義。暫時《ざんじ》の間メ云付れは此景清も同前。往来《わうらい》の女をとらへ。戯《たはむ》るゝ事言語道断《ごんごだうだん》取所もなき馬鹿者《ばかもの》。所詮《しよせん》評義に及ず。打て捨んと刀《かたな》に手をかけ立かゝれは。ア、申御赦されませ誤《あやまり》ました。おじひに命チはお助けと。土に（34ウ）くい付泣侘《なきわぶ》れは。犬猫《いぬねこ》にもおとつた愚人《ぐにん》め。ぶち放《はな》すも刀の穢《けがれ》。ソレ〳〵家来共。大小もいでぼつ払《はら》への下知に随ひ丹蔵が。両腰もぎ取迯立る。てん手に破竹《わりだけ》ばつたばた。たゝき立られ膝《ひざ》がつくり。面目砂《すな》にころ〳〵〳〵。こけつ転《まろ》んづ落失《おちうせ》けり。

地色ハル景清重《かさね》て色コリヤ〳〵女。詞馬鹿者をぼつ払へは。そち達が身分ンに別条ない。二人共に早くゆけ〳〵。ハア、嬉しや。お年若でも遉《さすが》は名ある景清様。我々が身の上御推量《すいりやう》有て。通れと有ルはいかいお情。地ウ最早隠さふ様はない。ウ誠是にましますはハル義朝様の。色コリヤやい〳〵〳〵そりや何をいふ。詞主君伊勢平太殿御目鑑《めがね》を以て。関所を（35オ）預かる景清。義朝が由縁《ゆかり》の者としらは引とらへて糾明《きうめい》する。ヱ、イ。いやさ驚くな。不吟味にして身が誤リに成たときは。ナ。合点か。其ときは此景清。切腹《せつふく》にも及フ一大事。テモたつた今。そち達が身に別条ない早ふ行ケとは。サア引かへして都へ行ケといふ事さ。ム、すりやどふ有ても此関を。通す事は叶はぬ〳〵。地ハルハア。はつと二人はウ胸塞《ふさがり》スヱテとかふ詞も中泣居たる。

地ウやや時移るウ夕間暮《ゆふまぐれ》。中暁《あかつき》契る初メぞとウ先ツきくウ三井の入相のキンヲクリ鐘《かね》かう〽〳〵とフシ聞ゆれは。地ウ景清色詞をあらゝげて。詞ヤア聞分ケもなき女原。あの三井寺の入相を限つて。往来をとむれは片時も叶はぬ。ソレ家来共。両木戸打（35ウ）て勤番せいと地フシいひ付ケ。番所に入けれは。地中むざんや二人はぜひ泣々。ウ関の外面《そとも》にハル引出され。ウ戸口にたゝずみ声を上。ヱ、どうよくな景清。道を立義を弁《わきまへ》。忠心はげしき其中にも。物の哀を知ッてこそ誠の武士といふべけれ。始終詞の端々《はしぐ》にも我を常盤としりながら。たとへ見遁《のが》し通したとてさのみ科《とが》にも成ルまじきに。心づよくも追かへして通さぬ風や関の戸の。明ずはしたふ我夫にいつ逢坂の道たへて。あこがれしなんうき命チうらめしの関守《もり》や。うたての鐘のひゞきやと。或ィは恨み或ィはかこち身一つの。悲しさつらさくどき立。くどき（36オ）立たるいたはしさ。小夜鶴も諸共に思ひくるしき胸の中チ。せき上〳〵泣しつむは理り。とこそ聞へけれ。

ちから泣々小夜鶴が。一ト先都へ御帰りと今来《き》し〳〵道へ引かへす心のほいなさ恨メしさ。立とまつては跡ふりかへり。ヱ、むどくしんな景清と。関所の方を打ながめ。嘆けは倶に常盤御前もむせび泣。鳥のそらねははかる共。世に逢坂の関はゆるさしと。清少納言《せいせうなごん》がよみ置し。歌も今身の上成か。そもじも我レも恋しき夫《つま》は近江路に。あの関一ト重《ゑ》に隔《へだて》られ。あふに逢れぬ悲しやとたがひにはてし涙の袖。しほらは淵《ふち》と成

ぬらん。（36ウ）
かくてはあらじと。行さきよりによこ〳〵きたるは鳴見丹蔵。すかしよつて。ヤアおらが恋女房かこりやむまい。頬恥《つらはぢ》かいてぼいまくられ。うろたへ廻るもそ様ゆへ。いづくの浦へもかたげていて。おらがかゝにせにやおかぬと。ほうと抱《だき》付ク身を摺《すり》ぬけ。ひつしよなく振はなし。なふうるさやいやらしやと。にげ廻る常盤御前の小腕《こがいな》とつてねぢ付れは。是はと取つく小夜鶴が。首筋つかんで引廻し膝《ひざ》にひつ敷。サアめろさいめ。いやとぬかすとしめ殺すが。なんと〳〵とむたいの手ごめ。せんかたつきて見へたる所に。関所の方より（37オ）矢ひとつきたつて丹蔵が。せぼねをぐつとつらぬけはたちまち息はたへてげり。ヤアこりや何事。てんかんやみか頓死《とんし》かとよく〳〵見れば。身にたつ矢はづに書ィた物。ひつとつてほしあかりに。ひらき見れは関所の切手。これをもつて関を通れと。かげきよの深いなさけ。ハア、かたじけないこゝろざし。常盤様はやふお出と打つれて。おつと〳〵をしたひゆく思ひは。百八ぼんなうの。ねむり

をさます三井の鐘うちつれ。関所にたちかへる（37ウ）

第四　粟津の晴嵐

霞を吹キ雨を吹ク春の詠《ながめ》に。引かへて。秋吹渡る粟津野《あはづの》の嵐に袖をひるがへす。ゆきかふ人の品々は。さながら山市《さんし》の晴嵐《せいらん》也。

娘盛リは廿《はたち》迄。情盛リは廿チから二つ三つ四つ詰袖《つめそで》に。誰レも見とれて思ひます鏡《かゞみ》の。宿《しゆく》に名も高き。式部《しきぶ》と呼れ色なしの身持チも堅《かた》き石山より。下向の道のうさはらし。松原にさしかゝれは。

下人喜介がコレ申式部様。せんど義朝様に揚《あげ》られて舟遊《ふなあそび》にお出なされ。石山できつい御なんぎで有ッたげな。サレハイノ。其時の難義を遁《のが》れ。義朝様は凩左《こがらしさ》伝《でん》と変名《かへな》して。志賀の辺《へん》にお忍ヒ（38オ）なさるゝ。

お身の上に別条のない様にと。頼ムは兎《と》角観音《かくくはんおん》様と。いへはさし出る下女の杉。ホンニ信《しん》あれは徳有リと。けふ石山で平家の公達《きんだち》。小松ノ冠者重盛《くはんじやしげもり》様にお目見へなされ。結構《けつかう》なお装束《しやうぞく》を御拝領《はいりやう》。いんでいふたら親御様は悦ンでゞあろが。あの悋気《りんき》深い左伝様。癇積《かんしやく》で有ふぞへ。サイノわしもそれが気にかゝると。案じ煩《わづら》ふ折からに。長田ノ四郎がさしづにて。常盤御前も小夜鶴も。やつす姿の二度丸。

功能《こうのう》はどなた様にも御存シの通り。則チ八幡《まん》様の御夢《む》想《さう》の御《み》薬リ。分ケて女中様方の。恋に心の結ぼふれ。切レた縁でも二度丸。御用なら召ませと。いふに式部が。ヲ、さいさきのよい薬売リ。やはたの名方（38ウ）とは。源氏を守りの氏神《うぢがみ》様。求《もとめ》ていんで恋人へみやげにしたいこなたへと。招《まね》けは小夜鶴咎《とが》め。サツテモきつい源氏贔屓。此薬リを恋人様へおみやとあれは。鏡の宿クのお方であろ。石山の観音様を御信心《しんぐ》有ルゆへ。自然《しぜん》とお名を。式部様といふげなが。扨はおまへの事かいなと。問れてはつと顔赤らめ。コレハまあ思ひがけもない。わしが名の謂《いはれ》を。知ッてござんすこな様ン達は。アイ合点のいかぬ筈。わたしは男山正八といふ薬売リの女房。是はお松といふて妹。おまへに頼たい訳有て。石山よりのお下向を待受て居ました。此能書《のうがき》を密《ひそか》に御覧とさし出す薬リの包紙《つゝみがみ》。抜《ひら》き見るより式部は恂《びつく》り。ヱ、イ扨はあなたが。聞及ンだお松（39オ）様か。サア松は常盤の替らぬ色とはいへど。殿御の心が替つたかとそれが病イの種《たね》と成ル。どふぞおまへの相医《あいい》者《しや》様に。見て貰《もらい》たい身の願イと聞より合点し。ヲ、そんなら逢イたふ思召スは道理〳〵。成程わしが相医者様ンの。お目にかけたらついよしとも。ア、是々。其よしともあしい共爰では訳をいはぬ事。どうぞ逢せて下さんせと常盤御前の御頼ミ。いたはしとは思へ共是から直クにお供していんでから。とゝ様といふも根が親方。皆もいんで此噂《うはさ》かたふしてたもんなと。いへは小夜鶴引取て。聞ケはおまへは近々《ちかぐ》に。小松の城へ舞を勤メにお出じやげな。それに女子の囃方《はやしかた》が入ふがな。ヲ、成程〳〵。姫ごぜの囃方を抱《かゝへ》て（39ウ）置イたと。とゝ様にいふて置ふ。コレ申お松様。正八様御夫婦と。連立てお出なさんせと。いふに嬉しき常盤のまへ。ア、やさしき人の心遣イ。我々は石山の九軒屋《くけんや》に尋て行ク人もあれは。是てお別レ申ます。そんなら必何事も。鏡の宿クへお出なされて上の事。さらは〳〵と約束《やくそく》かたき。石山さして別行ク。

下女や下部も跡見送り。サツテモ気疎《けうとい》薬屋が長咄《ながばなし》。日暮レて道を急クといふ。たとへのふしじやとつぶやき急ぐ向ふより。火縄打ふりのさばり来る大の男の二人つれ。往還《わうくはん》一ぱい立はたかれは。式部を始め女子共。こはさ悲しさ跡すさり。

コレ〳〵女中おづ〳〵しよまい。日が暮レて歩《あゆ》まれずは。挑灯《てうちん》の火をかしてやろかいと。（40オ）よるを喜介が押隔《おしへだて》。ア、是申。火はからいでも大事ない。そんな濡事《ぬれごと》しかけずと。早ふ通して下さりませ。ハ、、、たとひ天人の影向でも。色気になづむおいらじやない。サアめろう共。きり〳〵と帯《おび》をとき。片端《かたはし》から裸《はだか》になれ。ヱ、イ扨は追剥《おいはぎ》様かい。ヲ、此街道《かいだう》で隠レもない彦根《ひこね》ノ小《こ》鷹《たか》。宵覗《よいのぞき》ノ黒吉《くろきち》。こちとが見込ンで剥《はが》ずに通した例《ためし》はない。うぬがかたげた挟箱《はさみばこ》も。置ィてうせふとよはみに付込ム鉦調《どってう》声。供の者共うぞぶるへは式部はこはさ押隠し。かふ成ルからは何一つ惜《おし》む心はなけれ共。あの挟箱の内にある花摺衣《はなずりぎぬ》の水干《すいかん》は。けふ石山で平家の公達《きんだち》。小松ノ冠者重盛様に御拝領《はいりやう》申せし物。あれが（40ウ）なふてはわし計リか親達迄の難義と成ル。是一ト色は了簡して下さんせと。涙にくれていひければ。

ヲ、此近江ノ国の御支配《しはい》。平家の公達《きんだち》より下された水干とあれは。こつちへ取ても跡の捌《さばけ》がむつかしい。ソレ黒吉。水干計リとん出《だ》してこましてやれと。いふにあたふた押ひらき。小袖の品々ひつくりかへし。

コリヤ〳〵是かと取出す水干。色は萌黄《もよぎ》にもへたつ紅《べに》の露皮胸紐《つゆかはむなひも》。秋の草花摺《くさばなすつ》たる羅物《うすもの》。持てうせいとほり付れは。名におふ粟津のはげしき嵐にひら〳〵〳〵。ハア〳〵あれ〳〵〳〵とうろたへ廻れは。

ヱ、ほへおるな。吹散《ふきちつ》たは嵐のわざ。おいらが知ッたこつちやない。サアきり〳〵と脱《ぬぎ》おれと。せちがふ後《うしろ》へ長田ノ四郎窺イよる共白波（41オ）の。おどしの抜身《ぬきみ》に悲しやこはやと逃廻る。

ヤア手間《てま》くらいめ。血が付クと直打《ねうち》がさがる。ヲ、血の付カぬ様にまつかうと。二人が首筋長田ノ四郎が鷲《わし》掴《づかみ》。ころり〱と引くりかへせば。小鷹は透《すか》さず起上り。ヤア儕レは八幡《やはた》の薬売リ。邪魔ひろぐなと切付るを引はづせば。つゞいてかゝる黒吉がだんびらもぎ取。蹴付《けつけ》踏すへ剖打《むねうち》に。たゝみかけしは煤掃《すゝはき》の。畳《たゝみ》たゝくに異《こと》ならず。

式部主従生出《いきで》る心地。どなたかは存ませぬが忝ふござんす。ア、是々。其礼には及ませぬ。委細は最前身が女房に聞イてゞ有ふ。拙者《せつしや》は男山正八といふ薬売リ。神の助《たすけ》のやはたの名方。式部殿の危き命を助た所が二度丸。第一盗賊《たうぞく》を退《しりぞく》るに奇妙《きめう》也。女中（41ウ）のなんぎを救《すく》ふによし。けがせぬ内にいんだ〱。

ア、長居は恐レお礼は重《かさね》て。ホ、そふ共〱とつとゝござれと追イやつて。おろし置イたる荷箱《にばこ》をかたげ行んとすれは。

小鷹黒吉ごうはらにやし。こちとが枠《かせぎ》の妨《さまたげ》して。鼻塞《はなふ》でいのとはのぶといやつと。又もやかゝるを荷箱を楯《たて》に丁と受ケ。引クを付込ムひはらの当身《あてみ》。うんとのつけに黒吉がのめるをどうど踏付れは。コリヤたま

地ハル

らぬと逃行ク小鷹。足の下タには目を白黒吉きちつくを。ぐつと踏ンだる跟(きびす)のとゞめ。傍リを見廻し。万病二

地ハル　色

度丸。

中　ハル　三重

売声(うりごゑ)高く 〱 商(あきな)ふや。

地ハル　中

色と情に曇(くもり)なき。鏡の宿(しゆく)に世盛(よざかり)の花屋の長が帳(ちやうめん)面に。花の数咲(かずさく)送(おくり)出し。跡をかり子が出つ入つ。櫛(くし)の

歯(は)を挽(ひく)（42オ）ごとく也。

地色中

あるじの長は線香立(せんかう)テかへ。ヤア喜介。たつた今亀井殿の本陳(ほんぢん)から。小主水(こもんど)を呼にきた。なぜきり 〱 と

フシ　詞

戻らぬぞい。サア式部様の跡を問ヒにいたれは。一つのめとお客様の志(こゝろざし)。イヤ其云訳が隙が入ル。小主

ハル　色　詞

水。〱と呼れて奥より。連山諸立出(れんざん)れは。ヤアそなたはどこから呼ヒにきた。イヤわたしは上ミの町の

フシ　詞

伊吹屋へ約束(やくそく)でいきやんす。ホンニそふじやの。コレ二人リ共に随分客を大事にかけたがよい。娘の式部

ハル

は色なしでさへ。いつの月でも商(あきなひ)がさ。あれも元ト は。伊勢の坂の下タから来た奉公人(ほうこうにん)。十九の年(とし)から丁

ど六年。たんと金設(かねもふけ)してくれた。そち達も精を出しや。アイ 〱 わしらも式部様ンを見（42ウ）習ふて。

地ウ左伝様ンの様な深い色をハル挊《こしらへ》たら。猶かお叱《しかり》ウなんすであろと。フシぴんとすねてぞ出て行。

地色ウすれ違ッて所のあるきが色入来り。詞小松の城から御用が有ルとて。お役人が会所へ来《き》て待ッてござる。ちやつと今出やしやりませ。地ウホイ何事ぞいといひつゝ出る門《かど》の口。ハル娘の式部がウいきせきと戻りかゝれは。詞ヤア何ンとして早かつた。サアまだお客はいんでゝはなけれど。けふ内へお松お鶴といふ女中の囃方《はやしかた》が。尋て見へる筈じやによつて。ムヽそれで戻つたか。其二人リの衆はとふから来て休ンで居らるゝ。シテおまへはどつちへいかしやんすと。地ウ問ふ間《ま》も早ふハルとせり立られ。フシあるきに打つれ走リ行ク。

ハルフシ式部は心。中ウすめやらず。詞アヽ気（43オ）遣ィや。今とゝ様のいかしやんしたは。又義朝様の詮義では有まいか。地ウ是に付てもけふはなぜハルお出の遅ィ事じやぞと。ウたばこ引よせウくゆらする。フシ煙《けむり》や胸《むね》をこがすらん。

ウキン身のしがや。ハルフシ忍び堅田《かたゝ》の。中浦遠き。地色ウ陸奥太郎義朝公。ウ平家の為に世をせばめられ。ハル金王一人ン御供にて。フシ爰によるべの軒《のき》の端《つま》。詞イヤ申我カ君。あるじの長はるすと相見へ。内にはおてき只一人。ホヽそれは上首《しゅ》尾《び》。案内せよとの給ふ声に。式部は嬉しく出迎ひ。ナフ待兼し左伝様。ほんに何からいはふやら。今と、様を会所から呼ヒにきたれは。わしや気遣なとすがり付。跡は詞も泣計。

ヲ、左伝と変名《かへな》し此義朝。忍ヒ〳〵に通ふ事。伊勢平太が洩《もれ》（43ウ）聞ィての詮義成ルかと。御気色かはつて見へけれは。イヤ我カ君。先頃より荒川寺《あらかはでら》の全行《ぜんぎやう》と。某が御すゝめ申せしこと〳〵。此近江ノ国には。源氏重恩《ぢうおん》の武士多けれは密にかたらい。小松の城を劫さは。八方の関所ひらけんは案の内。其騒に紛て君は密カに鎌倉へ。御下リなさるへし。ホ、金王。適成ル思ィ立。是より直クに打立。木村姉川山本一党《とう》をかたらい。其計略《けいりやく》を廻らすべし。ハア、相心得候。コレ式部殿。必君を爰にべん〳〵と置クまいぞと。年若なれ共詞の渋谷。暇申て立出れは。

式部は門の戸しめやかに傍《そば》近くさし寄て。コレ申お悦びなさんせ。お云号の常盤様が。お松と名をかへおまへを尋て見へたぞへ。ヤアそれは思ひがけ（44オ）もない。トいふたらおまへは嬉しいかへと。ちよいとつめられアイタ、、逢ィたいかへ。ナンノイノ。さはいふ物の。松と名をかへ。尋てきたとは誠かと。問《とは》せ給へはサレハイナ。常盤様のお出じやと。と、様の噂に聞た計リ。ハテ隠しやんな。神《しん》ぞ〳〵色に引れ顔見たいではなけれ共。お松に早く都の様子が聞たい。一寸《ちよつ》と逢しやと有ければ。式部は傍《そば》成ル小鼓《こつゞみ》取上ケ。松は元トより常盤にて。つきせぬ契り理りや。捨られて我ぞちる花の。胸にたく火はきへやらぬ。ソリヤ悋気《りんき》するのか。イヱなんぼ御本妻《ほんさい》でも。常盤様より此式部は。おまへのまだ前髪《まへがみ》の。稚立《おさなだち》から馴染《なれそめ》て。あかぬ別レも七年ぶり。君に廻り逢ふ為。親に見かへて此勤メ。恋路に（44ウ）高い卑《ひく》いはない。どちらがたんとかはいひへと。問へは二階の障子の内には。常盤小夜鶴忍び聞ク共。しらず義朝。ヲ、そもじと常盤は此鼓を打ッ道理。かふ本式《ほんしき》に備《そなへ》て。かたくろしいが本妻《ほんさい》の表皮《おもてかは》。そなたは裏《うら》皮。つい膝《ひざ》の上でも打《うた》れる。心安ィが賞翫《しやうくはん》。恋のねしめのしめ加減《かげん》。かはいかられふがられまいは。そつちの心に有ル事と。遉《さすが》名を得し大将も。色には目のなき習ィなり。

ア、有難ひ君の心のしほらしやと。常盤御前の御悦び。式部はそれと気も付ず。爰は端近《はしぢか》アレ〱表へ誰ㇾやらくる。いつもの二階へお忍びと。せり立られてのぼるもせはしき。段階子《だんばしご》とん〱〱とたゝく門トの戸《と》押ひらき。とゝ様お帰りなさんしたかと。いふを打けし主《あるじ》の長。（45オ）コリヤ娘。わりや大それた事仕出《しだ》して。よふ隠して居たな。主馬《しゆめ》ノ八郎盛久《もりひさ》様が。御詮義に爰へござる。ちやつと影《かげ》を隠してくれ。ヱ、イ。そりや何ゆへにわたしを。サア其訳は追てしれると。有無《うむ》をいはせず屏風《びやうぶ》の陰に。隠せは程なくいかつけに。主馬ノ八郎盛久と。名のるは盗賊《たうぞく》彦根ノ小鷹《こたか》。めつたに肱《ひぢ》を張抜《はりぬき》の。虎《とら》の威《ゐ》をかる面魂《つらたましひ》。ヤイ家来共。後程迎《のちほどむかひ》に来るへしと。のつさ〱と入来れは。長はおづ〱手をつかへ。ひよんな事は娘めが見へませぬ。ヤア見へぬといふて済《すむ》べきか。近々に小松の城へ召れん為。重盛《しげもり》公より下し置れし大切《たいせつ》なる水干《すいかん》。粟津が原で風に吹ちらされしとは。察《さつ》する所。陸奥（45ウ）太郎義朝への心中立《しんぢうだて》じやなと。かさにかゝつてゆするにぞ。

詞ア、御尤なお咎《とがめ》。此親が身に引受ヶて成ッと娘が難義。地ハルすくふてとらせたふウござりまするると。スヱテ中涙ぐめは。詞ホ、左程不便ッに思は丶。此盛久が呉服所《ごふくしょ》へ申付て。代リの水干調《とゝの》へてくれふ。早く金の才覚せい。ハイそりや直段《ねだん》は何程。何と申す絹てござりますと。地ハル問れて小鷹色行詰《つま》り。詞サ、あれは。ほるとがるといふ国から渡つたあるまんすといふ織物《おりもの》。ハアそりや膏薬《かうやく》の様な名でござります。サア其膏薬と出所が一所ゆへ。模《も》様《やう》には藤《ふじ》の丸が織《おつ》て有げなと。地ウ間似合《まにやい》だらけの詞の端々《はしく》。ハル二階に忍ぶ色義朝公。ウこいつ曲者《くせもの》引とらへ。面縛《めんばく》させんとウ思せ共。ウ我レを見付ん（46オ）ウ方便《てだて》かと。フシ猶もひそんでおはします。地色ハル長は誠と色心得て。詞ア、聞及んだお情深い盛久様。私が此身体《しんだい》に成たは娘が影。金は惜《おしみ》は致シませぬ。地ハル先々奥で御酒一つ。然らは亭主ウ案内せいと。フシ引連レてこそ入にける。地色ハル式部はかけ出ウ奥の一ト間をふし拝み。ウア、忝ひと丶様のお志《こゝろざし》。中ウ十九から廿四のハルことしまでお世話に色成し。詞恩のある親に難義かくるは道ならず。科を名乗て奥へ行ふか。ちよつと二階へいて。地ハル左伝様に逢ふかと。

うろ〳〵立まふ後《うしろ》に小鷹。ヤア式部見付た。うぬが名残を惜《おし》むからは。二階にけつかる凩《こがらし》左伝。義朝に極ッたと。いふ顔見るより。ヱ、イ。おまへは夕部。粟津の松原で。ヤイ〳〵女何ぬかす。身は粟津の松（46ウ）原で儕レに出合ッた覚はない。そこのけ二階を吟味すると。行を引とめふり放し争《あらそ》ふなかばへ二階より。爰に居たは我レ々と。常盤ノ前と小夜鶴が。階子《はしご》をおるれは式部が恟《びっく》り。ヤア扨はおまへ方はあそこにで有たかと。とふ間《ま》も小鷹が気はいらたて。ヱ、めんどい女原のいた〳〵。凩左伝を引おろさんと。又立か丶れはア、是々。凩左伝といふはわたしら二人リが事じやはいな。イヤこいつ様々な事をぬかすと。いふに式部が心付。コレ申盛久様。あちらなが凩。こちらが左伝といふて。わしが小松の城へ召る丶時の囃方《はやしかた》。あの衆に何ぞ御用がござんすか。サアそれが定《ぢやう》なら今爰で。彼等《かれら》に囃方を勤メさせ。（47オ）式部が一トさし見物せんと。盛久めかする詞の勿体《もったい》。早とく〳〵とせり立れは。常盤のまへの小鼓に。色をふくむや小夜鶴が間《ま》に大鼓《おゝつゞみ》袍《うちかけ》の姿を直クに舞の袖。心のうさを奏《かなで》ける。

ウタイ サシ あまつ乙女の羽衣を。釣《つり》の翁《おきな》にうばゝれし。舞中 それはあづまの三保の浦。入 是は ハル 粟津の哀 クル なる。中 ためしを爰にひるがへす。ウタイ 霓裳《げいしやう》羽《う》衣《い》に引かへて。式部が舞を見給へ。引 ヒヤヒヨイヒヤリウリ。ヲヒヤライヒウヤ。ヒウルイヒヤリウリ。ヲヒヤライホウ〱ヒ。詞 よいや〱。さつても気疎《けうとい》金箱〱。ア、お待兼は御尤と。地ハル 長は金箱 ウ 携《たづさへ》色 出れは。詞 ホ、金才覚せしからは盛久は早く帰り。代リの水干調へて得させんと。地ウ いふもそこ〱 ウ 足（47ウ）早に。ハル 立出る門の口。ウ いつの間にかは 色 長田ノ四郎。詞 ヤアどこへ〱。最前よりの様子は聞ィた盛久殿。おはづしは手がわるいと。地ハル 止《とむ》れは小鷹が惆《びつく》り 色 廃忘《はいもう》。詞 イヤ二度丸所望《しよもう》にないと。地ハル 逃出す首筋《くびすじ》かいつかんでどうどのめらし ウ 踏付ケて。金ひつたくり ウ あるじ 色 に与《あた》へ。詞 コリヤ〱女房。其荷箱《にばこ》にある水干を式部殿に渡し。此どろぼうめがかたりのばけを顕《あらは》せと。地ハル いふに小鷹は 色 ア、申御赦されませ。詞 きのふといひ今ン夜といひ。一度《ど》ならず二度丸《ふたゝびぐはん》。こりぬ者はござりませぬと。地ハル 泣侘れは ウ 式部は嬉しく 色 押戴《おしいたゞ》き。詞 夕部粟津で風にとられた此水干。どうして持来《もてき》て下さんした。ヲ、今朝《こんてう》常盤様と。我カ女房を是へ伴ひ（48オ）帰リがけ。おもの丶磯《いそ》の松の枯木《こぼく》に其水干。我カ目にか丶りしは。こなたも仕合セ身も仕合。取リに上つて梢《こずへ》より。折しも小松ノ重盛公。石山下向の御乗物より遠目に御覧じ。身の軽《かる》きがお目にとまつて此長田は。平家方へ抱《かゝへ》られたれは。盛久といふ名に免ンじて赦してこます。とう〳〵帰れと蹴飛《けとば》され。ぐつ共返答《へんたう》あらぎもとられ小鷹は〳〵逃て帰りける。

人々悦ひ危ィ所へ来か丶つて。難義を救《すく》ふ心に引かへ。平家がたへ奉公に出るとは。心元トなや気遣ィやと。尋る後《うしろ》の段階子《だんばしご》。義朝飛ンでおり立給ひ。ヤア長田。平家へ奉公の餞別《はなむけ》せんと。腕捻《うでねぢ》上ケてもんどり打タせ。有合ふ（48ウ）荷箱の居合刀《ゐやいがたな》を追取延《のへ》。りう〳〵はつしとつゞけ打。ナフ悲しやと止《とゞむ》る小夜鶴取付ク常盤。イヤ人非人《にんぴにん》の長田めを何ゆへかばふと。怒《いかり》給へは花屋の長。コレハ殿のお腹立が御尤。四郎殿ちやつとお侘《わび》なされいと。いへは漸《やう〳〵》顔ふり上。常盤御前や小夜鶴が。君の御行衛を尋る心に引かへて。此長田は義朝公に。廻り逢まいと存ずるから。小松殿の御見出しを幸ィに。平家へ身をよせしは。今叩《たゝか》れし其太刀が有ルゆへと。聞より義朝袋《ふくろ》を取て。ヒヤア此太刀は。父為義の御秘蔵《ひさう》ある鬼切丸。是を汝が持来りし。子細はいかにと有けれは。常盤ノ前も小夜鶴も。思ひがけ（49オ）なや。様子を聞せて。〱と尋ヌれは。ヲ、其驚キは尤。某都を出立《しゆつたつ》の砌リ。密《ひそか》に六条殿へ御暇乞に参ンじたれは為義公。其御太刀を我レにあたへ。不行跡《かうせき》なる躬義朝。敵に捜《さがし》出されて。見ぐるしき死をさせんより。御先祖《せんぞ》の御ン手にかゝると思ひ。其御太刀にて切腹《せつふく》を勧《すゝめ》よと。のつぴきさせぬ御諚《ぢやう》。常盤御前に御嘆きをかけまいと。今ン日の只今迄深く包し。拙者が心のせつなさ。推量《すいりやう》なされて下されと涙に。むせび申スにぞ。

義朝公感悦《かんゑつ》有。ムウ扨は長田。汝平家へ身をよせ。不忠者ノといはれて成リ共。某を助けんとの心遣にて有けるか。（49ウ）左はしらずして短慮《たんりよ》なる今の振廻《ふるまひ》赦《ゆる》してくれよとの給へは。ハヽア冥加《みやうが》に余《あま》る御詞。此忠宗古《たゞむねこ》主宰相《しうさいしやう》殿の勘気を受ケ。流浪《るらう》の身と成しを。御父為義公に引上られし。御厚恩《かうおん》を忘レざる根性《こんじやう》から。仰を背《そむく》も恐レ多く。左あれはとて君に御生害《しやうがい》を。勧ムるも道ならずと存るゆへ。不忠者に成リ。平家へ奉公

に出んと申スも。責《せめ》ては常盤御前の御母。関屋様のお命チ助ん為にて候。まつぴら御免ン下されと。涙にく
れてひれふせは。
イヤ〳〵それは全ク不忠にあらず。汝我カ父為義の恩を忘レずんは。たとひ義朝成共。親子の中不和になら
ば。少シも用捨仕るな。何が扨仰にや（50オ）及ぶべき。もしも左様の事あらは君とても敵味方と。詞を
つがふ長田が義心。野間《のま》の内海《うつみ》で敵対《てきたい》しも。此理りとしられたり。
式部はわつとむせかへり。大事のお身に。御難義かけしはわしが科。あの御太刀で長田様。切ッて成と殺
して成と。為義様へお侘言《わびこと》。皆様頼上ヶますと。嘆けは倶に常盤ノ前。女院様のお取成《なし》にて仰付られし。
大事の御用をよそになし。日頃に似合ぬお心やと託《かこち》給へは。
ヲ、其御用太切《たいせつ》に。思ふからの色狂ひ。父為義の魂《たましひ》此御太刀に。身の云訳を申上る。長田夫婦あるじの
長も。近く寄て承れと。有合ッ薬リの荷箱（50ウ）引よせ。鬼切丸を直しおき。扨も当今近衛《こんゑ》ノ院。仁平《にんぺい》三

年に御悩《こなう》有て後。今に玉体穏《おだやか》ならざる事。鎌倉松が岡の神体《しんたい》の御鎌。紛失《ふんじつ》せしゆへ也と。陰陽《おんやう》ノ頭《かみ》が占《うらなひ》によつて。女院の御所へ某を召れ。急き御鎌を。尋出せとの御内々の勅命《ちよくめい》。普天《ふてん》の下タ卒土《そつと》の浜《ひん》。いづくか王土《わうど》ならざらん。御心安く渡らせ給へ。尋出して奉らんとお受ヶ申せは。ア、其折柄《おりから》お傍《そば》に有しは此常盤。女院様御悦ヒの余り。お流レの盃《さかづき》給はりしを。自《みづから》が取次で欄《おばしま》よりさし出せは。其時義朝頂戴《てうだい》して。一つ受たる盃へ。折しも冴《さやけ》き三ヶ月の。影あり〳〵とうつりし有様。さながら磨《みが》（51オ）ける鎌のごとし。是御覧ぜ。御鎌は早我手に入たりと。受持たる御盃をほしけれは。サア我夫の其詞に付て。女院様の御詠歌に。もの丶ふの首途《かどで》を祝《いは》ふ三日《みか》の月と。遊したる上ミの句に。某も取あへず。神の御鎌の影はあり〳〵と下の句を仕り。御前を立て退出《たいしゆつ》する。ホンニ其おりの常盤が嬉しさ。花も実《み》もある武士《もの丶ふ》と。上ヱ様の御褒美《ほうび》と語り給へは。

コレナ申。其お咄は式部が身のうへ。父は鎌倉松が岡。御《み》鎌を預かる神職《しんしよく》と。此程より申せしに。なぜにお下りはなされぬへ。ホ、何をか隠さん此義朝。一旦東《あづま》へ向《おもむ》きたれ共。松が岡の神職は。先年ン勅勘《ちよくかん》を受て行衛しれず。（51ウ）ヱ、イ。何ゆへにとゝ様は其御難義と。涙にくるれは。ホ、其驚きは尤。汝が父大宮司が身の上咄《うへばなし》は追ッての事。人の噂に娘玉藤鏡山にて式部といふ。白拍子に成て居ると聞キ。引かへして此宿クに来り。おことに尋逢イし所に。七年跡石山にて。蛍《ほたる》見の折から契りし女。名《な》所しらぬ某を尋んとて。かゝる勤メの身と成しとあれは。娘に引カされ大宮司が。尋来る事も有べきかと。色に事よせ此所に。数日逗留せしが都へ聞へ。大内の咎め父の怒リ。日頃より源氏をこばむ伊勢平太清盛。己《おの》が領国なれは海《かい》陸《りく》に関をすへ。土を穿《うがつ》てさがせ共。志賀や堅（52オ）田の。源家のゆかりにかくまはれ。忍ひ〳〵に是へたよるは。御鎌の穿鑿《せんさく》をとげん為。弓矢神ミも照覧《しやうらん》あれ。偽るにおいては浄破利《じやうはり》の鏡山。今のうき身に何を色気《いろけ》。何たのしみに通ふべし。かゝる本心ンしろし召ねは親人の。御腹立も理りと。御太刀を身に添ヱて涙に。しづみ給ふにぞ。

式部はいとゞかなしさ増り。七年以前に仮初《かりそめ》の。契りが今の。御身の仇《あた》と成けるか。是に付ヶても父上はいかなる事て。勅勘の身となり給ひしぞと。むせべは常盤ももらひ泣キ。長もおさだも小夜鶴も。たもとひる間は（52ウ）なかりけり。

ヲ、式部が悲しみは尤。察《さつ》するに神霊《しんれい》の御鎌は。汝が父大宮司が。持て立のきしと覚れは。いかにもして尋出し。勅諚《ちよくぢやう》をも相立テそちにも親子の。対面させんとありけれは。長田の四郎謹で。ハ、アかゝる君の御本心を承り。是にまさる悦ひなし。常盤様には女房小夜鶴を連られ。式部殿のはやし方と成。小松の城へ入込給へと。申せは義朝御悦び。ホ、適《あつはれ》なる長田が方便《てだて》。汝平家へ身をよせたるこそ幸イ。常盤もろ共心を合せ。何とぞ母の関屋が命をたすくべし。我レは矢橋《やばせ》のわたしより。（53オ）志賀のかくれがへ立帰らん。道の守りは此鬼切とたいし給へば。

式部はすいかん打かけて。常盤御前の名残リをいさむる舞の袖。わかれては。いつかあはづと。おもへとも。あふみときけば。すへ頼みあり。しばしは曇《くも》る。かゞみ山跡にとゞまる三人ㇼがなげき。義朝公は矢橋の浦へ。長田は小松の屋形へと引別れ行きぬ〳〵に。かはく間もなき恋衣見をくる思ひ行思ひ。やがて御ン代に。いておぶね。敵を。なびける晴嵐《せいらん》と君の。首途《かどで》を祝しける（53ウ）

第五　矢橋の帰帆

釣竿手熟《てうかんしゆじゆく》す白頭《はくとう》の翁。辛苦《しんく》客船《かくせん》西又東。幾度《いくたび》の風帆《ふうはん》帰り去ル。湖水《こすい》の波のうね〳〵に。ゆられゆらゝる釣《つり》の舟。矢橋の浦の眺望《てうぼう》は。是なん遠浦《ゑんぽ》の帰帆《きはん》かや。

当国の按察使伊勢平太清盛。近曽《さいつころ》本領伊勢ノ国へ下向有しが。けふ小松の城へ御帰帆とて。豊浦《とよら》の磯《いそ》より纜《ともつな》とき直クに舟順見有べしと。花麗《くはれい》を粧《よそほ》ふ御座の舟ろびやうし揃ふ舟歌に。波の鼓《つゞみ》の音添ィて。風も融《のどけ》き琵琶《びは》の海冬の。フシ景色《けしき》も詠メ有。
地ハル清盛大キに色興《けう》に乗《じやう》し。詞ヤア〳〵難波《なんば》ノ新五。兼て汝等に申付。所々に嘱詫《そくたく》の札を立させ。此近江一国の出
口〳〵をさしかため。義朝が隠レ家を捜《さが》せ共。今において手に廻らぬは。我本国へ向《おもむ》きし（54オ）跡にて
小松が詮義。駿《ゆるかせ》なるゆへと有ければ。地ハル難波謹で色頭《かうべ》をさげ。詞今日君の御迎ィに参る某にさへ。何角に付ケて
義朝が有リ所を聞出せと。仰渡さるゝ程の小松殿。御若年《じやくねん》なれ共明智《めいち》の大将。帝トを調伏《てうぶく》せし曲者《くせもの》の穿鑿《せんさく》。
地ウ義朝が吟味にハル御心を砕《くだ》かるれは。余《よ》もウ知レざる儀は候まじと。申上るウ其所色へ。ウ御座を目がけてハル漕《こぎ》来タる丸太
舟。ウ御注進《ちうしん》の者也と舳板《へいた》に色ひれふし。詞恐レながら私は。東八ヶ国を徘徊《はいくはい》致す小鷹と申ス夜盗《よたう》。過し頃より
此国の。境々《さかい〳〵》に新関がすはりしゆへ。余国《よこく》への往来《わうらい》ならず近在《きんざい》をへちまふ所に。昨晩鏡《かゞみ》山の色里にて。
お尋の義朝を見付ケ注進と言上《ごんじやう》すれは。地ハル伊勢色平太ゑつぼに入。詞ホヽ小たかとやらうい奴。なぜ陸奥太郎を
引括《くゝつ》て連レ来らぬ。イヤ只今矢橋の舟場《ふなば》にて小舟を借リ切。志賀の浦へ渡ル（54ウ）様子迄。仲間の者を付

置眼張《がんばら》せて聞届ヶ。是へ訴人ンに参た心は。弥《いよ》〳〵高札の通り。御褒美《ほうび》下されませふかなと。地ハルいはせも立ず新色
五いらつて。詞ヤア御ほうびに偽りはない。儕が手からに義朝を討て取レ。ア、それ聞て百人りき。あ
れ〳〵むかふからくる舟御座を見付て除《よけ》たが義朝。ぼつ付て討止メ追付御左右。地ハル申上んと彦根ノ小鷹。フシ飛が
ごとくに漕ィで行。

地ハル清盛遙ヵに色見送て。詞誠に進《すゝむ》事とき者は退ク事も早し。心剛《かう》なれはとて高が盗賊《たうぞく》。小鷹め一人。義朝が討手
には覚束《おぼつか》なし。難波ノ新五ぼつかけて後詰《こづめ》せよ。ハア、畏ッて候と。地ハル艀《はしぶね》おろさせフシ乗移れは。地ハル急げやつと清
盛の。ウ声を追風《おいて》に難波が舟ウは二挺立《てうだて》。御座の舟はウ櫓《ろ》の手を揃へ小松のトル城へと三重〽こがれ行。

地ハル義朝ウの召れし舟。はげしき波を押切〳〵フシ（55オ）漕来る。
地ウ小鷹が舟はウ射《い》る矢の色ごとく。詞ヤア〳〵見付た義朝。鏡山にて長田めに。ゐらいめに合ッた意趣《いしゆ》がへし。う
ぬをく、つて金設《かねまふけ》と。地ハルいふも間近きウ舟と舟。艫《とも》とウ舳《へ》先《さき》はくはつちくはち。ウひらりとフシこなたへ飛のれは。詞イ

ヤしやうこりもなき盗賊めと。かいくゞり渡り合ッ。剣術《けんじゆつ》無双《ぶさう》の大将に何かは以テ叶ふべき。なんなく櫂《かい》を打落され。御免〳〵と鷲《わし》に追れしとや出の小鷹。二つに成て湖《みづうみ》の底《そこ》のみくづと成にける。

心地義朝自身《じしん》に櫓《ろ》をおし漕出し給へは。

透キもあらせず難波が舟。斯クと見るよりなむ三宝。小鷹めは討殺された。アレ〳〵あれを見よ。義朝が舟は矢橋の磯《いそ》へ着キたるぞ。つゞけ〳〵と舟子に下知し跡を〽慕ッて急キける。

爰によるべの猟船《りやうせん》は。志賀ノ都堅田《かたゝ》のうらに隠レなき。源五郎といふ猟師なり。生得《しやうとく》心剛《かう》なる上。物の道理を能ク（55ウ）弁《わきま》へ。男一疋頼もしく。しよざいの網《あみ》にも油断なく打出の。浜より磯廻り。腰簑《こしみの》ひつたり高襷《だすき》。例ィの大網肱《ひぢ》に引かけ。うろを目かけて窺ィ寄リ。ソレ〳〵楫子《かぢこ》合点か。水棹《みざほ》おしんで静《しづか》に〳〵。ヲツトしてこい其うろへ。やつとまかせとざんぶり打込ム末広《すへひろ》がり。舟をひかへてそろ〳〵引キましよ。ヲ、こたへるぞ。入た〳〵と引上れは。一尺余リの鮒《ふな》二枚。舳板《へいた》に踊《おどり》はね廻るを。奔走《ほんさう》息子の元松

ウがこはがる体なく追廻し。ウなんなくおさウへてゐらに細縄《ほそなわ》色引通し。詞コレ〳〵とゝ様鮒取た。地ハル椙子のおぢも見ウ
さしやれとフシ悦ヒいさめは。
詞ヲ、でかした。イヤおれもがつてうの金六といはれ。よつほど網も打ッけれど。叶はぬ〳〵。そして貴様
が舟を出すと。海の底《そこ》からどこ共なふ。源五郎。〳〵と呼げな。其呼フ所へ網打ッと。大分魚がとれるげな。
水神の気に入た源五郎は仕合セ者。是も親父《おやぢ》の五郎大夫殿に（56オ）孝行故じやと近在の取沙汰。結構《けつかう》な
事じや。サア約束の矢橋の浜。おりや爰からいにますと。地舟より上れは色源五郎。詞イヤ是貴様が舟へ稚《ちつさ》めを
ことづけふ。コリヤかゝが問フたら。とゝは大津へ廻つていぬるといへ。其鮒はけふの椙子の雇賃《やとひちん》。あの
金六にやつて仕廻へ。ヲ、かしこいよふくれた。内迄慥カに送ッてやるは。近江の名物《めいぶつ》源五郎鮒《ぶな》。舟場《ば》で
直ク売《うつ》ていなふ。サアこい元松。とゝ様さらは。地フシ〳〵と打連行ク。
地ハル道引ちがへウ数多の色人音。詞ヤア〳〵あれは喧嘩《けんくは》じやそふな。大勢をたつた一人リして。扨も物の見事に追ち

らし。うたてや爰へくるそふなとためらふ所へ。

陸奥太郎義朝平家の追手を切払《はら》ひ。長追無用と刀を納《おさ》め。是より直ク堅田の浦迄。便船《びんせん》頼ムと立寄給へは源五郎。ムウ堅田へとおつしやるで気が付た。此間こちの浦へ。義朝様が来てじやと噂するが。もしもおまへか（56ウ）ア、いや是々左様の者ではない。手前は。凩《こがらし》左伝といふ牢人者《らうにんもの》。イヱ便船は成ませぬ。まだ義朝様なれは堅田の猟師《りやうし》見ぬ顔はならぬ。其訳は。先ツ年六条ノ判官為義《ためよし》様。甲賀山勝軍《かうかざんかちいくさ》の時。こちの浜からお舟の御用に立た恩賞《おんしやう》に。大内へ願イ猟場《りやうば》の年貢《ねんぐ》。永々《ゑい〳〵》御赦ルされた。御恩の有ル為義様の息子殿。義朝様なりや舟かすけれど。見知リもせぬ人かくまふて。跡で難義に成た時にや。おれ計じやない。年寄ラれた親仁殿に。苦労《くらう》かけるが疎《おとま》しい。此追風《おいて》にいにましよと。檣《ほばしら》引立出舟の用意。

コレ待やれ。是非《ぜひ》便ン船との給ふを耳にもかけず。水棹《みざほ》追取押出せしが何とかしけん。舟はすはつて大盤《だいばん》石《じやく》。おせ共させ共動《うご》かばこそ。コリヤどうじや。何たる事と忙レて。覗《のぞく》水底より。源五郎。〳〵と呼フに悔り。ムウあのわろに舟かさぬゆへ。水神のお咎メか。訳をいふて辞退《ぢたい》（57オ）するに。聞分ケなくはぜひがない。サア舟すへて御らふじと。腕《うで》に任セて押出せ共作り付たるごとくにて。岸《きし》を離レぬふしぎさは。実《げに》水神の咎メと思しく。海上俄カに風騒《さは》ぎ漣《さゞなみ》寄スる波間より。氛々《いん〳〵》たる水気舟に入ルよと見へけるが　源五郎は。うんと計リに悶絶《もんぜつ》し。かつぱとふせは義朝驚き。我レゆへかゝるなんぎの体見捨るは本意ならずと。頓《やが》て舟に乗移り等閑《なをざり》ならぬ介抱《かいほう》に。気は付キながらきよろ〳〵目。ハ、、、、おまへが凩左伝様。気遣イなさんな。かたゝの浦迄送リます。目出たい〳〵帆《ほ》を上ふと。打てかへたる愚《おろか》しさ。

折もこそ有レ。難波ノ新五かけ来リ。此体見るよりヤア〳〵義朝。舟にて逃クれは水練《すいれん》は我カ得物。游《およぎ》付カんと帯引ほどくを。義朝透《すか》さず舟に有合フ包丁《ほうてう》追取リ。はつしと打たる手利剣に。新五は胸板貫《つらぬか》れ。水の哀レや波打際《ぎわ》。吹くる風に帆を上て矢橋を。帰帆《きはん》の。舟出よし堅田の。浦へとこがれよる（57ウ）

第六　比良の暮雪

面白の。雪のけしきや。比良の高根の。ながめはつきぬ 江天《かうてん》の暮雪《ぼせつ》是なりきと。おしかへし〱。声もたへなる鼓 太鼓《つゝみたいこ》の 音《ね》もさへて。白拍子の式部が奏《かなづ》る今様《いまやう》の。唱 歌《しやうが》も時に近江ノ国。南小松の城《しろ》屋形《やかた》には。重盛の御ン母弁《べん》の方を慰《なぐさ》むる。孝行《かう〱》ふかき奥御殿。比良の山路を見晴《はら》して。木々の梢《こずへ》も白妙《たへ》に。名におふ雪の御遊《ぎよゆう》也。

時しも追々奥小性殿の是へ御出と。麒麟錦《きりんきん》の重 茵《かさねぶとん》に。しかみの火爐《ひばち》をかしこに直し席《せき》を。まふけて待けれは。帳 台《ちやうだい》より立出る（58オ）伊勢平太清盛。濃紅《こきくれない》の大紋に縁塗烏帽子《へんぬりゑぼし》引立て。大広間《ひろま》の椽先キにつゝ立遙ヵに見れは。艮 隅《うしとらずみ》の高櫓《やぐら》に嫡子小松ノ冠 者《くはんじや》重盛。近習一人ン召連レて。雪の晴間《はれま》を遠目鏡《とをめがね》に。暫し見とれておはします。
地ウヤアラ心得ぬ遠見の体《てい》。重盛ハル〳〵と方《はう》八ウ町響《ひゞき》渡る色父の声。ウはつと諾《いらへ》て遠目鏡ウを。近習に渡し其身はキンヲクリ〳〵急
ウぎ櫓《やぐら》より。おり出る小ウ松ノ冠者重盛。十八ウ才の角前髪白砂《しらす》伝ウひにしづ〳〵と。フシ階《きざはし》にさしかゝり。地ウ長袴《ながばかま》の裾
のくゝりを振ウほどき。折目ハル高に手を色つかへ。名詞にふれし比良の高根の雪げしき。奥の殿《でん》にて御覧はなされ
ず。地ウいか成ル御用と窺色へは。ヲ詞奥には風流なる白拍子の式部が（58ウ）舞。それをさし置キ是へ出しは余の
義にあらず。其方は此城にて生れしゆへ小松と名乗リ。地ウ禁庭の御ン覚ウ世の用ひ重《おも》ハルけれは。近江一国の政道を
色打任せ。詞某は伊勢の本領へ下り漸《やう〳〵》昨日帰つたれは。何角の様子を尋ん為さ。此清盛自余《じよ》の大名には事替
り。城内《じやうない》を御殿造《ごてんづくり》にして御簾《みす》かけ渡し。御所の余風《よふう》を学ぶ事。身が母祇園女御《ぎおんにようご》。雲井を出て遠からぬゆ
へ。それを見まねに汝等迄。情を専《もつはら》に国の仕置《しおき》が手ぬるい。日外《いづぞや》逢坂の関にて召捕し。琵琶盗人の女が
牢舎《らうしや》を赦し。馳走答拝《たつぱい》すると聞しが地ウ誠成ルかと気フシ色。かはつて見へけれは。

詞ハ、御不審は去事。琵琶をよく鍛錬《たんれん》したる女なれは。(59オ)此重盛が師匠《しせう》と仰ぎ。いたはり置ヶが深き方便《てだて》。其子細は。彼レが身に添《そへ》持しは先年紛失《ふんじつ》せし大内の重宝。牧馬《まきば》の琵琶に紛レなし。則チ其手筋より帝を調伏《てうぶく》せし曲者の詮義も。大方に相しれ候。ホ、それは重畳《ちやうぐ》去ながら。地ウ他聞《たぶん》を憚る大事なれは。ハル委細はとくと色後に聞ふ。詞左程迄惣明叡智《そうめいゑいち》の其方。式部めを陸奥太郎義朝に因《ちな》みし。白拍子としらざるか。イヤよく存ては有ながら。義朝が隠レ家《が》を詮義の為に招きよせ候。扨彼レが連来りし女の囃方《はやしかた》。鶴と申は源氏の郎等長田ノ四郎が女房。今一人お松といへるが常盤ノ前と。地ハル聞もあへず驚く色面色《めんしよく》。詞ヒヤア松と変名《かへな》せしが宇治ノ宰相の(59ウ)養イ娘。九条の曹司《ざうし》常盤成ルか。いか様憎《にく》からぬ容義《ようき》と思ひしが。千人の中で百人撰《えり》。百人の内で十人勝《すぐ》つて。十人の中より只一人。撰《えらみ》出したる美人程あんなれど。地ウ日頃見ぬハル恋聞ヶウ恋に。思ひこがれし清フシ盛の心ときめく計リ也。

詞ア、いや〳〵。女計リと思召必御心赦《ゆる》されな。アレ御覧ぜ。あれ成ル櫓に遠見を云付ヶ置し。新参《しんざん》の男山正八と申が。則チ長田ノ四郎忠宗と。いはせも立ず伊勢平太。ヤアそれと知ッて家来になしたる所存はいかに。コハぎやう〳〵しき御ン咎メ。鷲《わし》の勢ひ猛《たけ》しといへ共。雀《すゞめ》を取ルには鷹《たか》におとる。彼等《かれら》ごときが事を御心にかけられな。やはり重盛に任せ置るべし。ホ、いかにも〳〵。然らは身は義朝が（60オ）行衛を全義《せんぎ》せん。

白拍子の式部を是へよべと。お傍《そば》小性に云付給ふ折こそあれ。

お次の方より上総ノ七郎景清。一つの箱を台にすへ御前に直し。小松殿の御師範《しはん》。叡山《ゑいざん》の照空阿闍梨《しやうくうあじやり》より指越《さしこさ》れし。其箱の内に納《おさめ》し一通《つう》を。密カに御披見有べしと申置キ。使僧《しそう》は帰られ候と相述れば。重盛父に打向ひ。何かは存ぜね共。師の坊の仰重《おも》けれは。罷立て拝見すべし。景清来れと引連レヘ奥へ立給ふ。

いかなる御用か。白拍子の。式部は局《つぼね》に誘《いざなは》れ目通り。近く座につけは。清盛面《おもて》を和らげて。ヤア式部。最前奥にてもいひしごとく。陸奥太郎義朝と。離々《はなれ〴〵》に成て嘸や悲しく思ふらんと。よそながら（60ウ）に尋れは。ホ、、、、殿様とした事が。あられもないお尋。去ながら世間へはつと浮名の立ッた二タ人リが中。隠すは却《かへつ》て恐レ有。諭《たとへ》ていはゞ名高き志賀の山桜も。常住盛《じやうぢうさかり》と思ふは不覚。今散リ々に成てゐる義朝様とわたしは。花も葉もなき冬の梢《こずへ》。又くる春を待ッにかいなきうさつらさ。不便と思し給はれと。睟《すい》な身なれど水干《すいかん》の。袂ひる間はなかりけり。

塀重門《へいぢうもん》の扉《とびら》を開ク剡移《ゑんゐ》の音ト上総ノ介景純《すみ》あはたゝしく参上し。扨も義朝が討手に向ひし難波ノ新五が死骸。堅田の源五郎と焼印《やきいん》有ル庖丁《はうてう》胸板に立て。鎧《よろひ》岩《いは》の磯辺《いそべ》へ流レ寄リし故。早速《さつそく》詮義し源五郎と申奴《やつ》。搦メ来り候と言上すれはゐつぼに入。ホヽ能クしたり上総ノ介（61オ）今此女に義朝が行衛を尋る折からなれは。是へ引ケとの仰に随ひ上総が家来。岩塚《つか》兵内が引立出る源五郎。縄目にくるしむ体共見へずうつとり。として押直れば。

伊勢平太きつと見て。ヤア下臈《けろう》め。源氏方より頼れて。難波ノ新五を手にかけしか有様にぬかせ。少しでもちんぜは水くらはすと。かさにかゝってきめ付れは。

ハアそりや忝ふござります。水くれふより迚モの事に。茶漬《ちやづけ》を振舞《ふるまふ》て下さりませと。いふをせいしてシイ〳〵と。浦人共が気をもめは。庄屋の頓《とん》兵衛罷リ出。あの様《やう》にとつけもない事申スのは。本性ではござりませぬ。水神《すいじん》様の祟《たゝり》で。顔も心も稀有《けう》な者に成ました。イヤ黙《だま》れ（61ウ）庄屋。此上総が知ルまいと思ふか。きやつは水神の奇瑞《きすい》にて。人に勝レてよき魚をとるゆへ。源五郎鮒《ぶな》といふではないか。それに祟リを受たとは。上を恐レぬ偽り者め。ヤアまて〳〵上総偽り共いひがたし。唐《もろこし》の楚子《そし》といふ者。河《かは》の神《かみ》の祟リにて疾労《やみつかれ》てあのごとく。健忘《ものわすれ》せし例シあれは。必疑ふ事なかれ。いで清盛が本性になして事の実否《じつふ》を糺《たゞ》さんと。傍《そば》なる一ト腰おつ取て抜放し。音トにも聞クらん是こそは。一ト年セ神泉苑《しんぜんゑん》の池《いけ》より上りし鵜《う》ノ丸。此剣キの徳に依ッて。いか成ル邪神の祟リ成共立所に除《のぞく》へし。神慮《しんりよ》を有《なだ》むるは神子巫《みこかんなぎ》とて女の役。水干を着クしたる式部は。時に取ての乙女子。早く源五郎に戴《いたゞか》せよと（62オ）渡さるれは。

媚《なまめ》く手先キにひらめく白刃雪を廻らす。舞衣《まいぎぬ》の袂に添てさし付れは。わつと飛のきかつぱと転《まろ》び。神は立

去ウ給ふと見へて色起直り。詞ヤア女。いか成ル意趣《いしゆ》で此源五郎に。ア、是刃向《はむか》ふのではないはいな。水神様の
祟リを此鵜ノ丸の威徳《ゐとく》にて。本性になされしは清盛様のお情。地ハルちやつとお礼申さんせと抜フシ身を御前へさし上
る。
地ハル源五郎は本性にウ成てもかゝる身の縄目。スヱテとけぬ思ひの中折こそあれ。ウ遙カ奥にて絃音《つる》ト高く。ハル矢一つ来ッて御
庭の松にかつきと立けれは。ウ人々是はと驚くにぞ。清色盛いかつて。詞イヤア奇怪《きつくはい》也何奴ッのそれ矢。さがし
出して搦メよやつと仰の下。地色ウア、騒キ給ふな暫クと。ウ小松ノ冠者重（62ウ）盛。ハル袴《はかま》の裾《すそ》の長椽《ながゑん》ウ伝ひ弓脇挟《わきばさみ》色立
出て。詞只今城内の女墻《ひめがき》へ怪《あや》しくも此雁金《かりがね》。文をくはへて飛ヒ来る。一の矢はそれたれ共。念なふ二の矢に
射《ゐ》落《おと》して一通《つう》を抜《ひら》き見れは。あれ成式部へ忍男の通《かよは》せ文《ぶみ》と。地ハル聞て色恂りヱ、詞イ。そりやまあいづくの誰《たが》方よ
りわたしへの玉章《づさ》。ヲ、異《い》国《こく》ならで日の本トには珍《めづ》らしき雁の文。奥にすさみし恋歌を見れは。逢事も堅
田に通ふ雁金に。身の隠レ家をいふよしもがな。手跡は見知の行成《かうぜい》やう。陸奥太郎義朝が。堅田の浦に隠レ

ある事歌の心に顕レたり。早く討手をさし向られ然るべしと述らるれは。式部は悲しさ包ミかね。鏡山の別の時。志賀や堅田のしるべの方に忍び（63オ）居るとの給ひしが。よしなき雁に便リして。お身のなんぎと成けるかとむせび。嘆クぞ道理也。

小松殿も不便ンと思せど勅命《ちよくめい》なれは力なし。全ク平家の私に義朝を捜《さが》すにあらず。扨源五郎が身に覚なき事。昨日矢橋の沖での有増《あらまし》。我遠目鏡《とをめがね》にて見届ケおいた。ソレ／＼赦せの詞にはつと岩塚が。禁《いましめ》の縄引ほどけば。コリヤ／＼源五郎。水神の祟リを遁《のがれ》し。父清盛の恩を忘レず。義朝が有リ家を吟味せよ。ハア、それが私が身の申晴《はれ》。今本性に成て思ひ出せば。きのふ矢橋で凩《こがらし》左伝と申ス牢人者《らうにんもの》。此源五郎が舟を見かけ。堅田迄乗セてくれいと。頼みし迄は覚てそれから跡は何と致シたやら。みぢん毛頭存ませぬと。始終（63ウ）を語れは清盛。ホ、それにこそ能キ計略《けいりやく》有。あの式部を源五郎が内チへ連レ帰り。かくまい置ク体に見せよ。凩左伝義朝に極まらは慕《したひ》来るは必定《ひつぢやう》。たばかつて搦メとれ。先々源五郎を武士に取立ん。衣服《いふく》大小とらすへしとの仰を受て上総ノ介。ウ其義は宜ク相計ひ申へしと。ウ悲しむ式部を引立させフシ堅田をさして急キける。

地ウ清盛件《くたん》の雁のハル文手に色取てとつくと見。詞ム、フウよめた。義朝が贋筆《にせひつ》を拵《こしら》へ。日を経《へ》たる此雁を。今射て取た体にもてなし。女めを白状させし小松が頓智《とんち》。地ウ古《いにし》への張《ちやうし》子房《ぼう》孔明にも。ハル髣髴《はうほつ》たる謀《はかりこと》とフシ舌を。震《ふるふ》て感《かん》ぜらる。

地ウ斯クとはしらて長田ノ四ハル郎櫓より出色来り謹で。詞先刻より遠見仕候所に。琵琶の指南《しなん》を召る丶女中。荒川寺より下向して供の妣（64オ）諸共。乾《いぬゐ》の見付ケの御門をさして地ハル追付是へと。注進《ちうしん》すれは小松ノ中冠者。詞ナニ正八郎。新参の其方に今日始メて遠見の役を云付たるは。彼ノ女か面体《めんてい》よつく見知リつらんと存ての事。但ししらぬか何とじやと。地ハル問詰《といつめ》られて長田も色去《さる》者。詞ハアあれは慥カ大内の楽人。梅津源左衛門が後家関屋かと存シますと。地ハルいはせも立ず色伊勢平太。詞それを又儕レは何ンとして存てゐる。ハア何をか隠し奉らん。拙者は元ト宇治宰相殿の家の子。若年の時分主人が文使に。一両度も参じて関屋が面体。ヲ、それて見知てゐるじや迄。父のお尋に身の上を隠さず。さつはりといひし神妙〳〵。罷立て休息《きうそく》せよ。ハツト諾《いらへ》て立て行を清盛声かけ。コリヤ〳〵おさ。だまりの通リ遠見の役は明日も早天より。ハツア畏て候と。お受申せは小松ノ冠者。父には先々御入あれ。正八立と互に心を奥とお次キへ引別レてそ（64ウ）

〽入相の。鐘の響《ひゞき》に。ちる花か。それかあらぬか峰《みね》も。おのへも。白たへに。ア、降ッたる雪かなと。関屋は傘《からかさ》傾《かたむ》けて歩《あゆみ》なやみて彳《たゝずめ》ば。供の妣撫子《なでしこ》が申々お師匠《しせう》様。最早《もはや》爰はお城の内。なぜにおまへは物案じなお姿。ヲ、そふ思やるは道理。是より荒川寺《あらかはでら》は近けれ共雪の山道。殊に此程迄。久々牢舎《らうしや》して居たわしなれば。高履《あだ》ではどうやら足がたよ〳〵する。それでちつと休だのじやはいの。ヲ、お師匠《しせう》様とした事が。まだお若イのに何シぞいなと。傘《からかさ》たゝめは階《きざはし》を上カるもけたかき。其風俗《ふうぞく》。少し盛リは過たれど今もうつくし美人草。撫子《なでしこ》火爐《ひばち》さし寄セて。ホンニおまへのお帰りの様子。小松ノ冠者様へ申上ふ。ヲ、そな（65

オ）たは稚《おさな》ひが発明《はつめい》な。必けふ荒川寺で。我子全行《ぜんぎやう》律師《りつし》に出合ッた噂してたもんなや。其お気遣ィなされ
ますな。おまへのお影で。上玄石象《じやうげんせきじやう》の琵琶《びは》の秘曲《ひきよく》。御指南《しなん》受しわたしじや物。ア、師《し》の命《めい》を背《そむか》ぬ心入レ。
遉《さすが》は小松様の御ン母。弁《べん》の方《かた》様のお傍《そは》につかへた人程ある。道々も頼みし事をお上へ願ふて。召上られし
わらはが琵琶を。今ン夜ちよとおかしなされて下されなば。地中 亡夫《なきつま》の逮夜《たいや》にウ一曲弾《たん》じハル手向たき中身の願ひ。詞ア
イそんなら其通りを。地ハル 御前へ御披露《ひろう》ウ申ましよと。フシ 廊下《らうか》をさして急き行。
地色ウ 関屋は跡にハル只独リ。灯《ともしび》か、げて見渡す後《うしろ》の中フシ 岨伝《そはづた》ひ。地色ウ 黄昏《たそかれ》紛レに色たそやたそ。ウコハリ 乱杭逆茂木《らんぐいさかもぎ》飛越ェ。ウ〳〵（65
ウ）箭眼《やざま》をふまへ。下難ンなく内なるウ柳の枯木《こぼく》にひよいと色飛付ク。手先キも足も真白《まつしろ》に。雪に見紛ふ白装束《しやうぞく》の
ナヲス ハル 游《しのひ》の者ヲクリひらりと。内へフシ折こそよけれと。中心関屋がハル小手招き中うなづく計リ言《ものいは》ず。ハル 白壁《しらかへ》に骸《からだ》をウフシ摺寄《すりよせ》窺ひ
寄。
詞 ヤア母人か。ヲ、全行《せんきやう》か。尋常《よのつね》の游《しのび》の黒装束に引かへ。雪に紛る、頭巾《づきん》も骸《からだ》も白妙《たへ》に適《あつはれ》頓智《とんち》。サレハ先

刻も申ス通り。源氏方の兵《つはもの》。志賀佐々木渋谷《しぶや》等《とう》を先キとして。今宵此城へ押よせ却《おびやか》さば。国境《さかい》の関々ひらけ。其騒《さはぎ》に義朝公。東国へ遁《のがれ》落給はん手筈。是に付ても。早くこつちへ奪《うばひ》たきは牧馬《まきば》の琵琶。ヲ、それは此母が小松殿へ願ふて置イたれば。追付爰へ香炉峰《かうろほう》（66オ）の。雪のながめにあらね共。御簾《みす》をか丶げてくらがりへ。我子を忍ばす其時しも。

廊《ほそどの》伝ひに常盤御前。嬋娟《せんげん》たる顔も形チもいつしかに。恋にやつる丶振袖姿しとやかに。小松様よりお使イとて金花《きんくは》か丶やく織物《おり》の。絹に包し琵琶一面《めん》関屋が前に直しおき。妼の撫子《なでしこ》をもつて段々のお願ひ。重盛様お聞届ケなされ。元トそつちの手より出たる琵琶なれば持タせて遣はす。今宵の逮夜《たいや》勤メなば。早速お上ミへさし上さしやんせとの御口上と述《のべ》給へは。コレハ〱有難や。小松様へのお礼。よきにおの様頼ますと。いふに摺寄ル常盤御前。イヤなふお師匠様。わたしは松と申て。白拍子の式部殿に（66ウ）連レられ。舞の囃方《はやしかた》に召れし者。わりなき願ひなれ共。ちやつと封《ふう》をお抜《ひら》きなされ。とうぞ其御琵琶を。拝見させて下さりませと。地ハル互ィに母共娘ウ共しらぬ親子の廻ウり合ィ。フシ神ミならぬ身ぞぜひもなし。
地色ハル関屋は隙どる色気の毒さ詞に。ヲ、安い事じやがついちよつと。上ミ台所《だいところ》迄いて。此火爐《ひばち》につぐ。炭持《すみもて》こいと
云付て下さい。ムウそんなら見せる事はならぬかへ。サア故《ゆへ》有げなこなたの詞。有様に訳を聞ィた其上で
は。ハテ望ミさへ叶へて給はらば。何しに隠しは仕やんせぬ。わたしは親の敵討。琵琶を証拠に付ヶねらへ
は。隠さしやんす程猶見たい。ホウ敵をねらふ人とあれば。望ミに任せ見せて（67オ）しんじよと。地ウ結び
し封を引ほとけば。帛《ふくさ》を倶々《ともぐ》ハル常盤御前一ト目見るよりヤア。色是が詞尋る父上の秘蔵《ひさう》の琵琶。小松様へさし上
たとあれば。こなたが敵に極つたと。地ハル詰メかくれは驚ィて。琵琶ひんだかへ立上り。色ア、詞是々女中楚忽《そこつ》いふ
まい。是には段々訳がある。イヤ／＼比興な赦ルさぬと。地ハル色香《いろか》そこなふ顔《かんばせ》は。雪を持たる紅梅《かうばい》の嵐フシにもま
るゝごとく也。
地色中物も得いウはず関屋はつれ／＼顔打守り。不便やな此ハル琵琶を。父の秘蔵といふからは。ウ宰相《さいしやう》殿へ養子にや

りし。我子か娘の常盤かと。思へどわざとさあらぬ体。コレお松殿とやら。是を証拠に敵といはつしやるが。こなたは此琵琶の名を知て（67ウ）ござるか。イヱ〳〵。さあそんなら証拠とはいはれぬ。是は今迄持て居た人が外にあれば。とつくりと詮義して。わしが身の云晴《いひはれ》に。手引して討《タ》せてしんじよと。いふに常盤も心付。いか様ほんに父上の。やはか女に殺され給ふ様はない。そんならは其敵の名所《などころ》を。イヤ〳〵。こんな事は念入《レ》て聞合さねば。めつたにそれとは名ざゝれぬ。余国《よこく》でもない当地に居る人と。聞て常盤は嬉しげに。そんならちよつと所成共。ヲ、早ふ聞たいは道理なれと。必定《さだか》にしれぬ事を口出していふもいかゞ。ア、それ〳〵よい事がある。此近江の湖《みづうみ》は取も直さず琵琶の形《チ》。是を目笠《めど》に敵の有所を。推量《すいりやう》あれと押直し。コレ琵琶の（68オ）長さを湖《みづうみ》の北南。二十余里に表し。頭《ラ》にある四《ツ》の柱《ぢ》を舟路になどらへ。古歌の心に引合せてよく見られよ。にほてるや。矢橋《やばせ》の渡りする舟の行つ。戻りついくたびか。大津粟津の浦風に。尾花《おばな》が末の露ならでしめる糸巻《いとまき》石山の。御《み》寺は転手《てんじゆ》。撥面《ばちめん》は沖の白石。こなたは天津乙女の浜《はま》。糸の末は竹生島《ちくぶしま》。向ふへ三里こへて今津の浦づたひ。波間《ま》の鳥居白髭《しらひげ》の社《やしろ》を過キて南の山に。布引はへしごとくなる。一つは雄滝《おだき》。一つは雌《め》滝。それよりは早真野《まの》あたり。爰が敵の住ミ所と持たる。撥《ばち》をさしおけば。

常盤は始終《しじう》琵琶の面《おもて》を守り詰メ。ヲ、真野の入江に諭《たとへ》(68ウ)て目下《まのあたり》と。敵の所を教《おしへ》さしやんした撥《ばち》の下タは。丁ど此。小松の城に当るぞへム、是其合点がいたらば。夜更《ふけ》てそつと爰へござれ。爺御《てゝご》の敵を討タせませふ。ア、それはまあ〱お嬉しやと。いさみ悦ぶ顔ばせを見る目も涙にかきくれて。三つの年迄手汐《しほ》にかけ。十四年ぶりに廻り合イしが逢イ始メの逢イおさめか。名のらは兄が。望ミの邪魔に成ふかと。思へはそゞろ悲しさにむせび入れば常盤のまへ。コレハ〱何ゆへにむつかります。サアあすは夫の命日《めいにち》なれば。有し昔の事共を思ひ出してつい泣ました。面目なやといひくろめ。琵琶を帛紗《ふくさ》につゝむ身のしが娘にさへ。明カさぬ思ひ辛崎《からさき》の心一つにコレお松殿。遅つては(69オ)お上ミのお咎《とがめ》恐レ有。アイ〱そんなら後チに。必今の地ハル手引を頼ウ上ますと。フシ悦びいさみ走リ行。

地色ウ待間遅《おそ》しハルと全行律師色出来り。詞ヱ、母者人。何かはしらす今の女と長物語リ。ヲ、待兼しは道理なれど。あ

れがそなたの妹の常盤。親子の縁はふしぎな物。此琵琶持て来て得させしと。地ハル渡せははつと色押戴《おしいたゞ》き。詞ア、

母の恵《めぐみ》妹が働キにて。牧馬の琵琶が手に入るからは。父の汚名《おめい》はたつた今きよめますと。地ハルいへは関屋は色さ

しよつて。詞ナフ委細は昼いひ聞せし通り合点か。ア、何が扨。此琵琶の盗手がしれたからは。帝を調伏《てうぶく》の

所存はござらぬ。地ハルお暇申スと色立出れは。詞コレなふ。荒川寺《あらかはでら》へいぬるには。今来しが近道《ちかみち》。サレハサ最前よ

り心を（69ウ）付るに。後《うしろ》の門より山の手へ伏勢《ふせぜい》とおぼしくて。大勢が向ひしゆへ。乾《いぬゐ》の門より罷帰ル。

母人ちやつと御入さらは。地フシさらはと別れ行過るを。

地ハル武者走リより遙カに見付て。長田四郎忠宗。窺ひ寄て後抱《うしろだき》に色むんずと組ム。詞シヤ何奴ッと振払《ふりはら》へは。ヤア紛レ

者め。盗ミし物かそれ見せいと。地ハル持たる琵琶に手をかくれは。引ぱづしかいくゞり。切レ共突ケ共ウ陽焔稲妻《かけろふいなづま》。

たがいに丁ど打合せ。双方息をつぎけるが。たるみを見すまし珊底羅《さんちら》伽卑羅《かびら》倒退《たうたい》と。秘鑰《ひやく》の文《もん》を呪《しゆ》しけれは。長田は忽チ五体強直《すくん》でうんと悶絶《もんぜつ》。只一討チと太刀振上しが。イヤ〳〵無益クの殺生。我カ行法の妨《さまたげ》と。琵琶おつ取て全行は荒川寺へと逃延《にげのび》たり。

斯ク共（70オ）いさや。白雪の。後園《こうゑん》伝ひに常盤ノ前。小夜鶴諸共忍ひ出。ナフあれ見や。雪に伏たは四郎じやないか。ほんにそふじやとかけよつて。コレなふ我カ夫忠宗殿と。呼いくれは心付。ヒヤア女房か常盤様か。そなたはまあ何ンと仕やつた。ヱ、無念やたつた今。奇異《きゐ》の曲者《くせもの》に出合ィしが。取逃したとかけ行を女房引とめ。ア、是其様に平家への忠義立テは置ィたがよい。常盤様のお身の上に。急なことが出来てきた。ヤア〳〵。そりや気遣ィ様子はどうじや。サレハイナ。宰相様の御敵が。此城に居るといな。シテ〳〵其敵は何奴ッサイノ。まださだかにはしれね共。手引して討せふといふ人があると。始終の訳を咄の半《なかば》。いつの（70ウ）間にかは関屋は後《うしろ》に彳《たゝすみ》て。コレ〳〵お松殿。ヱ、イ。ハテ悔りする事じやない。

約束の通り敵の手引せふと思ふて。ア、それはよふこそお嬉しや。爰に居やる夫婦はわたしがめのと。あの衆を力ラにして。ハ、、、、。いかにめのとを力ラにすればとて。小刀《こがたな》一本ン持タずに親の敵を討ふとは。盲《めくら》の花見。聾《つんぼ》の談義《たんぎ》参リ 地ハル するも同前と 中 恥しむれは。詞 ソレお姫様。ヲ、合点じや小夜鶴と。地中 ウ 二人は手早に帯のくけめに。ハル 隠し持たる懐剣 色 ひんぬき。詞 申是でも敵が討タれますまいかな。ホ、適レなる心がけ。最前より事を延さんが為。手引せふとは偽り。誠宰相殿の敵といふは此女と。地ハル 聞より 色 恂り長田ノ四郎。詞 ア、是姫君女房。早まるまいと止《とゞむ》る隙に。地ウ 関（71オ）屋は常盤の持ッたる懐剣。ハル 手先キと一所に引取て。ウ 我ヵ腹へ突《つき》立れは。ヤアと驚ク二人より。長田はどうど座をしめて スヱテ 黙《もく》する計リ詞なし。

地色ハル 小夜鶴いらつて。色 扨は敵に極つたか。ウ 姫君の ハル 助太刀と。突《つゝ》かくる刃物《はもの》色 もぎ取はね飛し。詞 ヤア尋常《じんじやう》に名乗て出た此敵に無用の助太刀。サア。そんなら姫君の手を放して。なぜ潔《いさぎよ》ふ勝負しやらぬ。コレこちの人。何うつかりとしてござると。地ウ 引立れば ハル 顔色青ざめ 色 ふるひ声。詞 そちが手にさへ余《あま》る物。おれはとふで叶はぬと。手足わな〳〵ふるひ出し歯《は》の根も更《さら》に合ざれは。ヘツヱ此様な不覚《かく》な人共しらず。此年シ月キ女夫に成て居たが悔《くや》しい。さつきに爰で曲者に出合ッたとて。正体な（71ウ）き有様も。其臆病《おくびやう》な心からと。夫を恨み身を悔めは。常盤もいとゞ無念泣。関屋は溜息《ためいき》ほつとつき。ホヽ二人リ共に其悔《くやみ》は理り。我カ面体《めんてい》を見知リし長田四郎。臆病《おくびやう》かまへてわらはが命助んとの。心遣ィは嬉しう思へど。義理ある爺様の敵を討タせ。常盤に誉レと取ラせふ計リに。此母が命チをやると聞て仰天。ヱヽイ扨はおまへが母様か。そんなら関屋様かいなと。小夜鶴諸共周章《あはて》悲しみ泣叫べは。

長田漸《やう〳〵》面《おもて》を上。アヽ是。其ごとく此城内《じやうない》にて嘆き乱レ。常盤御前の御身の上を悟《さと》られ給ひなば。一大事と存るから。母様といふ事存て居ながら。申さぬ拙者が胸の中チ。推量なされて下されと聞クに小夜（72オ）鶴。ナフそんなら姫君の母御と知ッて。お命を助ん為の臆病かや。さはいへ又関屋様。いか成ル事で宰相様をお手にかけ給ひしぞ。訳が聞たい〳〵と。常盤ノ前も介抱《かいほう》しせひも。涙にくれ給ふ。

地色中手負はくるしき色目をひらき。詞ヲ、其訳は。語るもはづかし我ｶ身の上。過ｷつる秋辛崎《からさき》の一ｯ松にて。宰相殿に出合しが因果の始ﾒ。年月ｷわらはに執心かけ。恋を叶へぬ腹立に。地ウ娘を殺して憂目《うき》をハル見せんと。神木《しんぼく》の松をウ常盤に准《なぞら》へて。ウ切ｯて放したもぎどい詞。色詞子に迷ふ心から。遉《さすが》すげなふいはれもせず。地ウ乗《のら》ぬ心を車ハルにて其夜直ｸに。中都の御所へ伴れ。娘不便にからまされウ靡《なびく》共なく。ついハル枕《まくら》かはして寝《ね》た時の。上悲しさつらさはいか（72ウ）計ﾘ。無念の涙を。ゑがほに紛ﾗしウ打とくれは宰相殿。色詞色と酒とに心ゆるまり。そちをなびけふ為。先年夫ﾄ源左衛門が大内より預りし。牧馬の琵琶を盗取。遠島《ゑんとう》させて思ひのまゝに。恋の叶ひし媒《なかだち》は。此琵琶也と我に見せ恩にきせたる物語ﾘ。地ウ聞ｹは忽ﾁ心は夜叉《やしや》。ハル飛かゝつて喰付《くい》ふかと。思ふ心を中押しづめ。九献《こん》をしいてハル寝入ﾗせまし。枕本《まくらもと》の一ﾄ腰抜取。ウ思ふ儘《まゝ》に宰相殿を切さいなみ。直ｸにわらはも色詞自害せふとは思ひしが。けふの今迄ながらへ居たのは。兄弟の子供が可愛《かはひ》さ。牧馬の琵琶は大内へさし上ｹよと。兄の全行が手に渡し。妹のそちには。恩有ﾙ養父《やうふ》の敵を討せ。遉《さすが》源氏の大将の北の方じやと。

誉レを（73オ）取ラせふ為成ルぞや。サア立テ常盤。長田夫婦。力を添て本望遂《とげ》さす心はなきかと。励《はげま》す母の慈悲心を聞ケは身も世もあられぬ思ひ。いかに義理ある父上の敵じや迚テ。産《うみ》の母様。そもや常盤が手にかけて。殺されそふな物かいな。逢坂の関にて囚給ひ。牢舎《ろうしや》なされてござると聞キ。命乞イの為にもなろかと爰へ来て。お顔見しらぬばつかりにわしが刃物《はもの》で其手負。神ミや仏の御憎しみ此身の不孝の罪科《つみとが》を。何とせんかとせんとくどき嘆せ。給ふにぞ。

長田も眼《まなこ》泣はらし。宰相殿を手にかけられし様子を聞ケは。連合イの敵討《かたきうち》。存ぜぬ事とて一旦《たん》は付ケねらへ共。又敵を討《うつ》法はなしと。事をたゞして忠（73ウ）宗が討んず気色はなかりけり。

常盤は猶も実を託《かこち》。わらはゝたとへ殺されても大事ないに。母上の身を穢《けが》させました。冥加《みやうが》の程か思はれて。悲しいはいなと計リにて悔みなげゝは。深手によはる。気を取直し。アヽ愚《おろか》な事をいふ人や。母が不義の悪名《あくみやう》を取ルまいとて。つぼめる花のそなたを殺すは。指《ゆび》を惜ミて腕《かいな》を切ラるゝ道理ぞや。おことも頓《やが》て義朝公の御公達《きんだち》を設《まふ》け。親に成たら親の心をしるべきぞ。天地の間タに子に代《かゆ》る。宝《たから》はないと心得て。子孫目出たふ源氏の枝葉《ゑだは》栄行《さかゆく》を。草葉の陰《かげ》へ見せてたも。それが冥途《めいど》の父母へ追善《ついぜん》共なる孝行ぞと。いへは常盤は。アイ〳〵といふより外は詞も涙。扨こそ平治（74オ）の乱レの時。義朝の三人リの公達危き命助られ。源氏一統《とう》の代《よ》と成たるは。今此母の教《をしへ》を受し常盤御前の功《いさをし》也。

ヱ、聞分ケもなき旁《かたぐ》。自身にとゞめさすべきかと。いふ声洩《もれ》聞キ殿中《でんちう》より。ヤア〳〵むさと死なは其場の者共。一人も赦さじと。伊勢平太清盛。弓矢おつ取ゆるぎ出れば。人々はつと驚く中にも。手負は漸《やう〳〵》居直《なお》つて。一旦小松様のお情で。御赦免《しやめん》なされしわらはに。何ゆへの御咎メと。いはせも立ずはつたとねめ付。ヤアとぼけまい。儕が躮荒川寺の全行。勿体《もつたい》なくも当今近衛《とうぎんこんゑ》ノ院を。調伏《てうぶく》し奉りし詮義が有ル。ヱ、イ。それは努々《ゆめ〳〵》存ぜぬ事とあらがへは。小松ノ冠者重盛。一箇《いつこ》箱を携《たつさへ》（74ウ）出て押披キ。コレハ是全行《ぜんぎやう》が。帝を調伏《てうぶく》の自筆《じひつ》の願書《ぐはんしよ》。比叡山《ひゑいざん》の鼠櫓《ねずみやぐら》に納メ置しが我カ手に入たり。此上にも躮が悪事。しらぬとの申訳

有けるかと。寛量勇智《くはんりやうゆうち》の詞に関屋は一句も上らず。はつと計リにひれふせば。常盤は見る度ヒ聞度ヒに心
を冷《ひや》す庭《には》の雪。消《きへ》も入たき長田夫婦ちゞむ心をくるしめり。
清盛　重《かさね》て。一々に赦し置カれぬ奴原《やつばら》なれ共。某に懇意《こんい》成し宰相の娘常盤。其家来なれは宥免《ゆうめん》するぞ。
ハ、ア有難き御恵《めぐみ》。迚モの義に関屋殿をも。イヤそりやならぬ。能クも荒川寺にて全行と示《しめし》合せ。牧馬の
琵琶を盗せたな。ア、それはお情なきお疑ィと。いふを打けし重盛。コリヤ関屋。此期《こ》に臨《のぞん》（75オ）で未
練に隠すな。其証拠は妣の撫子。早ク参れと呼出し給べは。関屋無念の涙にくれ。ヱ、扨は撫子。そなた
が訴人したるよな。梅津の家に伝へたる。上玄石象の琵琶の秘曲を。教ヘたる恩を忘レし物しらずと。目に
角《かど》立テて恨ムれは。ホ、其憤《いきどおり》は尤なれ共。我は全ク女にあらずと。表着《うはぎ》を一ト重脱《ぬぎ》かくれは下タに袙《あこめ》の公達
姿。近習《きんじゆ》のさし出す一ト腰取て脇挟み威風備《ゐふうそなは》り誾々《ぎん〱》たり。
手負は見るより。ヱ、たばかられしか口惜やと。歯をかみならせは。ホ、驚クは理り。あれこそ此小松が

従弟《いとこ》。父清盛の甥《おい》。平ノ経正《つねまさ》としらざるか。京六波羅にて育《そだち》見知リなきを幸ィに。撫子といふ妼に仕立其方に附ヶ置しは。琵琶の秘曲（75ウ）を経正に覚させ。天下の亀鏡《きけい》に備《そなへ》ん為。其手筋よりはからずも。全行が悪逆露顕《ろけん》せしは。天命なりと諦《あきらめ》よ。最前此城内へ忍ヒ来りしもしらず顔にし。今日汝を荒川寺へ遣し。始終の様子を遠目鏡にて。見届ヶおいての此詮義。牧馬の琵琶も躬に渡したと思ふは不覚。ソレ〳〵是へと有ければ。地ウはつと答《こたへ》て上総ノ七郎景清。ハル琵琶を御前へ色捧《さゝげ》置キ。詞行力自在《じざい》の全行手に余り候へ共。此景清が日来《ひごろ》念じ奉る。都清水寺観《くはんぜ》世音《おん》の妙智力《めうちりき》にて組ふせ。猶も障《しやうげ》化をなすべきかと。直クに斯ク計《はから》ふて候と。地ウ下部が持し首桶のハルふたを取てさし出せは。上ウ関屋是はと覚《さめ》やらぬ。夢に夢見る心地してスヱテ消入ルごとく嘆きしが。詞思ひ知たか全行。勿体《もつたい》なや帝様（76オ）を調伏《てうぶく》せし天罰《ばつ》にて。父は鬼界《きかい》が島の土。母は此形リ。そちが身迄もかふした死様。地ハル現世計リか未来迄。ウ思ひやられて不便やと。むせびかへれは常盤ノ前。ウ一ト目もしらぬ兄の顔。見るも悲しき対面と。ウ首に手をかけ身を打ふし。はかなき親子三人が中フシ寄合ッ縁ぞ哀也。

地ハル 小松ノ冠者も目をうるまし。色 詞 母があのごとく白状しつれは。御詮義は是迄。此願《ぐはんじよ》書を見てとくと思ひ合す
るに。仁平《にんへい》三年の帝の御脳《ごなう》も全行が所為《なすわざ》。其子細は。彼レは巳の年。父母が年が申寅なれは。其刻限《こくげん》を分
ち。東《とう》三条の森において。調伏の法を行《おこな》ひしゆへ。申寅巳の時を違へず御脳ありしを。源三位頼政が。叡《ゑい》
慮《りよ》を安んし奉らんが為。頭ラは猿《さる》尾は蛇《くちなは》。足手は虎《とら》のごとく成獣《けだもの》を射《ゐ》止《とめ》しとて。（76ウ）猪早太が九刀《こゝのかたな》
刺《さい》たるとは。太公望《たいこうばう》より伝りし。臨兵 闘者皆陣列在前《りんぴやうとうしやかいぢんれつざいぜん》の。九字《くじ》切かけし文字の数。又弓の鳴弦蟇目《つるおとひき》の響《ひゞき》
を。殿上人の聞まがひ。休 戯《ひゆうひい》と鳴ク鵺《ぬゑ》の声と沙汰せしより。普《あまねく》 世上で鵺といへる化鳥《けてう》を射《ゐ》しとは。跡
形タもなき偽り。それを聞ィて悪念深き全行。生キながら鵺の形チと成ッて。二タ度大内へ恨ミをなさんと。
地ウ か丶る願《くはんじよ》書を籠《こめ》し曲者。討止《うちとめ》し景清は。猪ノ早太にまさりし。比類《ひるい》なき高名ぞと。事を見透《すか》す重盛の三徳
兼備《けんひ》の明察《めいさつ》に。ハル 清盛殆《ほとんど》感悦《かんゑつ》有。色 詞 ホ、頼政が吟味仕残したる手強き朝敵《てうてき》。安々と亡ヒし事。此伊勢平太が
地ウ 武運をひらく瑞想《ずいさう》也。ヤア〳〵景清。あの女が手疵《きづ》。命チに別条は有ルまじきぞ。刃を抜て保《ほ》養《よう》させよ。ウ 不

日に都へ引クべしと有ければ。常（77オ）盤わつと叫《さけび》入。コレ申景清殿。其様に痛《いたは》つて。養生《ようじやう》有ルは嬉しけれど。都へ引クとは情ない。自ラを代リに立テ母様助けて下さんせ。一生御恩に清盛様。おじひ〳〵とかきくもる。折から雪も振袖に。涙は霙《みぞれ》と成ぬらん。

獅子王のごとき清盛も哀を催《もよほ》し。ホヽ、孝行深き常盤が願イ。叶へぬも便ンなし。とあればとて朝敵全行が母なれば。私にも赦しがたし。去ルに依て。此牧馬の琵琶をおことに得さする。大内へさし上ケ。其恩賞《おんしやう》に母の関屋が。命乞致べしとたびければ。アヽ、等閑《なをざり》ならぬ御恵《めぐみ》と。涙と倶に戴《いたゞ》き給へば。ヲヽ、嬉しいは理り。此清盛。情はよつく知て居ると。勇猛強気《ゆうまうごうぎ》の大将も。恋には引るゝ琵琶の海深き思ひの始メ也。

時しも寄セくる太鼓鉦《かね》。乱調《らんてう》に（77ウ）打立〳〵。鯨波《ときのこへ》浦の波皆山風の。音トにたぐへて聞ゆれば。重盛せいして。ヤア〳〵騒《さはぐ》な城中の面々。今宵。源氏方より寄る事。今日経正が荒川寺にて聞届けて帰りしゆへ。味方の伏勢《ふせゞい》を後《うしろ》の。山の手へ廻し置イたれば気遣イなし。父にもアレ。あれ〳〵御覧ぜよ。降リしきる雪に。しらはたひらめかし。数千の松明《たいまつ》山を上りに寄セ来る。源氏の多勢を眕《また、く》内にほつかへす。十面理《り》伏《ふく》の謀。ソレ／＼景清味方の相図《あいづ》。畏ッたと螺貝《ほらがい》の筒音《つゝね》も高く吹ク嵐。　後の山々谷々に。平家の赤旗一同に顕《ど》れ。明方ちかく　日間《ひま》白き雪の梢《こずへ》を。染なせば寄セ手は俄に辟易《へきゑき》して。備《そなへ》を乱し引退く。景清いさんでヤア／＼長田。常盤御前を伴ひ（78オ）帰つて。今宵の様なちよこざいすなと。源氏方の若殿原によつくおいやれ。ホ、足弱《よは》の御ン供せずんば。此儘帰る長田ならず。せめて御辺に置土産《おきみやげ》と。松に射込《ゐこみ》し鏃《やのね》を抜取打たる手利剣《しゆりけん》。景清柄《つか》にてはつしと払へは。ヤア両人尾籠《びろう》也。しづまれやつと清盛の。仰に双方。にらみ合ッてつゝたてば。関屋は下部が肩《かた》にすがりて名残の涙。常盤御前も小夜鶴も。別れ悲しきしのゝめに比良の。山風ひら／＼／＼。雲の赤旗翩翻《へんぽん》と。山の端《は》照《てら》す大陽《たいやう》の。日陰にかゝやく小松の仁心《じん〱》清盛の。情は恋のしからみや恩愛《おんあい》。恋慕《れんぼ》の別れのちまた名残を。おしみ立帰る（78ウ）

第七　堅田の落雁

鴻雁幾《かうがんいくばく》行堅田《かたゝ》の浦の夜ルの風。是や孔明《こうめい》八陣《ちん》の備《そなへ》と見たる詩人《しじん》の情《じやう》。頃しも師走《しはす》の初メつかたおりゐる雁《かり》の声々に。いと物すごく吹すさむ。

寒さいとはぬ。浦づたひ。源五郎が息子《むすこ》元松が年は六ッの暮合紛《くれやいまぎ》れ。挑灯《てうちん》さげてちよこ〳〵と歩む芦辺《あしべ》の向ふより。頭巾《づきん》すつぽり懐手《ふところで》。肩肘《かたひぢ》ひづませ出来るがつてうの金六が。ヤア元松か。わりや独リどこへ使ィにいたぞい。イヤ使ィじやない。安雄《あなふ》の里へ凩《こがらし》左伝様を送ッていた。ヤア。其左伝といふ牢人《らうにん》者。日外《いつぞや》から此堅田に隠レ蟄《かゞむ》ゆへ。平家方より御不審かゝり。御詮義の為上総ノ介様が。庄屋の所に（79オ）ござるといふ。訴人《そにん》して御褒美《ほうび》せしめる。よい事いふたとかけ出《いだ》す裾《すそ》に取付。コレそんな事いはしやるとおれが大分叱《しか》られる。黙《だまつ》て居て下されと。いふもおろ〱涙也。
ヱ、ちつぺいめ金設《かねまふけ》の邪魔ひろぐなと。踏飛してかけ出せは。コレなふ待て金六殿と。慕ｲて泣々かけ行ｸ
を。コリヤやいまて元松と呼ｯ声にふりかへれは。思ひがけなき浮御《うきみ》堂《だう》より祖父《ぢい》五郎大夫。一つの箱を
携《たづさへ》出れは。ナフぢい様。おりや金六にひよんな事いひましたと。取付ｷ嘆けは五郎大夫。倶に心をいた
むる所へ。
いきせきくるは嫁のお霜。ヤア舅御さんおまへは爰にか。さつきに左伝様を送てやつた。元松が遅ｲに依
て。わしや迎ｲに来やんした。サア其事をかつてうの金六めががんづき。庄屋（79ウ）の所迄訴人にいた。
ヱ、トうろつく嫁を押しづめ。ハテぜひがない。おれは是から安雄《あなふ》の里へ行ｷ。左伝様をいづくへ成共お
供せふ。扨お霜頼むは此箱。封《ふう》のまゝ神棚へ上ｹておきや。いか成附妖《つきもの》でも立所に除《のぞく》太切成ﾙ守ﾘじやと。

渡せは申親仁様。此お守ﾘはどつから取てござんした。サア躮源五郎にさへ知ﾗさず。在家《ざいけ》に置ｸ事勿体《もつたい》な

さに。久々此浮御堂の棟木《むなぎ》の上に隠し置しが。庄屋の所迄源五郎が戻つてゐると聞キ。まだ附妖《つきもの》が落ずんは其御守リを戴《いたゞか》せ。本性にして左伝様の。まさかの御用に立テん為と。語る始終を芦陰《あしかげ》に。聞て義朝立出給へは。ヤア。いつの間に是へお帰りと。嫁も舅も驚けは。ヲ、一旦安雄の里へ行しかど。当所の庄屋がもとへ平家の侍イ上総ノ介。源五郎を連レ来つて。（80オ）某が行衛を詮義すると聞キ。心ならず帰つたりと。の給ふ内に向ふへ数多の人音トすれは。あら心得ずと五郎大夫。義朝公を浮御堂へ隠し参らす其所へ。庄屋の頓《とん》兵衛馳セ来り。ヤア〳〵五郎太。よい所で逢イました。今そちの内へ上総様の御家来。兵内様がお出じやと。いふ間程なく縄網《なわあみ》かけし駕籠《かご》をかゝせて来るにぞハツト皆々地に鼻付れは。庄屋が披露《ひろう》に岩塚《いはつか》兵内。ム、扨は其方が五郎大夫。今一人は源五郎妻《つま》よな。夫が附妖は清盛公の御太刀の威徳《ゐとく》にて。本性に成たれは早速ク帰さるゝ筈なれ共。夜前小松の城の騒動《さうどう》に依て。主人上総殿取込あれは暫ク延引すべし。扨此駕籠は白拍子の式部。源五郎が内にかくまい置体に見せは。義朝が慕イ来ルは必定《ひつぢやう》。そこを大力キの源

地ウ　　　　　　　　　　ハル　色　詞

（80ウ）五郎に生捕せよとの仰。嫁は早く式部を内へ連帰れ。ナニ五郎大夫。舩源五郎が義朝を討て出す

地ウ

迄。其方は人質にお取なさるゝ。アレ引立ﾃよの下知に随ひ下部共。サアゝゝ立ﾃとあらけなくせり立れは。

地ハル　　　　　　　　　　　色　詞

コレなふ待て下さんせと。取付お霜を庄屋が引のけ。叶はぬ事にうはゝゝ様へ慮外じゃと。せいし止れ

中　詞

は打しほれ。ヲ、嫁。悲しいは道理なれ共。舩源五郎にのつぴきさせぬ為の人質とあれは。おれは心で

地ハル

諦てゐる。渡し置ﾃたる守りの箱を。随分大事に。ナ。最前もいふた通り。合点か。ちゃつと孫を連ﾚて。

地ウ　　　　　色　詞

いにやれといへは元松が。ぢい様のふとすがり付を。突のけゝゝよせ付ねは。嫁はわつとむせかへりとか

中　詞

ふ詞も泣しづむ。ヤアめんどい諄　時こそ移れと。五郎大夫を追立させ庄屋がもとへと立帰る。

地ウ　　　　　　　　　ハル　　　フシ

コレなふ申と（81オ）かけ出す。お霜を頓兵衛引とゞめ。ヱ、死別ﾚもする様に何か悲しい。サアゝゝ駕

地ウ　　　　　　　　ハル　色　詞

籠をちゃつとやれと。いらてはお霜が心付。イヤ申頓兵衛様ン。今の通りの仰なれは。式部様はわたしが

愛で受取。つれましていんだがよかろ。ヲ、いか様是はよい分別。籠でかさ高にして連ﾚていては。がん

づいて左伝殿が寄付クまい。遉《さすが》そなたは色里に。勤メした程有てきてんきゝじや。此かごの内に居やるも鏡山の睟《すい》の。兀長《こつちやう》。願ふてもない出合じやと。地ウ縄綱とれはウサア〳〵お出とお霜中がいたはり。不便や式部はウ身の上のうさハルつらさウより君の事。中案し煩ふ。フシ風情也。

地ハル庄屋は見とれて色サツテモ見事。詞あのむつちりを餌《ゑば》にして。義朝殿を釣リよせふとは。はへ緍《いと》で魚取ル道理。

此頓兵衛が智恵《ちゑ》よりは。地ハル一分ンがたもウうは〳〵じやとヲクリ笑ふて〳〵フシこそは（81ウ）帰りける。

地色中としや遅しとウ義朝公浮御堂より走リ出。ヤア式部ウかとの給ふ声に。ナフウ我君ハルかなつかしやスヱテとすがり中付てむせび泣ク。詞ヲ、嘆きは理り。最前よりあれにてとくと様子を聞に。此辺に陸奥太郎義朝が忍び居る事。何者が平家へ訴人せしぞ。サイナ。堅田の浦の雁金が。おまへのお文をくはへて来り。小松殿の矢先キにかゝりしゆへ。隠すにも隠されぬ所で有たはいな。ヤア〳〵。扨はおことが白状したか。此所におり居る雁を堅田の落雁《らくがん》とて。世間に称《しやう》美《び》するといへ共高が鳥類《てうるい》。それを頼ミに此義朝《よしとも》。危き事を好んや。察《さつ》する所重盛が智謀《ちぼう》にて。唐《もろこし》の蘇武《そぶ》が古事を学ヒたる謀《はかりこと》と覚たりそれさへ有ルに志賀佐々木が。某を東国へ落トさん為。昨夜小松の城へ押よせし。其方便《てだて》迄敵《てき》へ洩《もれ》。（82オ）地ウ彼レ是もつてハル残念やウと。後悔《こうくはい》ウあれは中式部もくやみ。フシ泣ク計。地色ハル色お霜 見兼て。詞かへらぬ事を其様にお嘆きなさんな。イヤ申。君にはちやつと何方へも。お身を忍ンで下さりませ。ホヽいかにも〳〵。そちか身のもと源氏に縁有ル者とて。神妙《しんべう》成心遣イ。是より直ク志賀寺へ向《おもむ》き安否《あんぴ》を待ん。成程夫源五郎本性になられしとあれは。敵か味方か今宵の内にも帰られたら。所存を聞イておしらせ申上ませふ。ヲヽ然らは是より志賀寺へ向《おもむか》んと。地ウたヽせ給へハルはコレなふウ申我君と。慕ひ嘆くウをお霜が伴ひかへる波。ウ芦《あし》のかりねに一ト夜さの。中あふせもなくてフシ袖しぼる。地ハルしはし別レも悲しやと。ウ鳴音《なくね》哀に夜ルウの雁ノル立別。れ行三重〳〵浦伝ひ。地ハル軒をならべし草のやねフシウ堅田に住メる。漁《すなどり》の。中おほかる中に（82ウ）取分ケて。所にウ名を得しハル源五郎。不慮《りよ》に平家へ召出され義朝の御在リ家を。尋る迄の人質《じち》とて。父五郎大夫が囚《とらはれ》を。悲しむお霜が物思ひ。舅の詞太切に守リの箱を神棚《かみだな》へ。上クる灯明《とうみやう》みき陶《とくり》の。口に折形手ン々に。式部も手伝《てつだ》ひ塩水《しおみづ》を打ッも現《うつゝ》や元松が。宵寝《よひね》まどひに漕《こぐ》舟も。夢路《ゆめぢ》をたどる計リ也。

詞イヤなふお霜様ン。わしやどう思ふてみても。左伝様の志賀寺へいかんしたが心もとない。ソリヤ式部様なぜにへ。ハテがつてうの金六とやらいふわろが。元松に聞て訴人《そにん》したとあれば。志賀寺へお出の様子を。平家の討手。上総ノ介がひよつと知ッたら何ンとなろ。ア、いか様そうじやはいな。夫ト源五郎殿今夜戻りはさつしやるまい。左伝様をこちの内へ呼ンで来《き》て。隠して置ク（83オ）のが結句でよかろ。ソレ〳〵。そんならわしはつい志賀寺へ一ト走リと。式部は心わくせきと小褄《こづま》からげて小挑灯《こでうちん》。さげてとろ〳〵立出れは。

詞コレ申ひよつと今にでも源五郎殿が戻つてなら。おまへは観音《くはんおん》参りといふておく。其口を合さんせ。裏《うら》道伝ひにソレ。かう〳〵と教《をしへ》おしやる時しも有レ。

遙ヵ向ふへ人数多の跫《あしおと》して。挑灯美々《ひゞ》しき供廻り。コハ〳〵いかにと伏たる我子を一ト間の内へ寝なおらせ。心を付る表の方。旦那の是へお帰りと。先走リのしらせに程なく。灯影《ひかげ》にかゝやく塗縁《ぬりぶち》の。駕《のりもの》内へ舁《かき》入ルれは。お霜は不審晴レやらず。いづくのどなたが御ン出と手をつかゆれは。ヤア〳〵家来共。汝等は直ク庄屋がもとへ帰るへしと。駕《のりもの》より立出る源五郎。木綿《もめん》どてらを引かへて。褶袴《すわうはかま》（83ウ）に掛帽《かけゑほし》対の金鍔束《つばつか》の間に。見かはす夫が其出立お霜は忙て詞も出す。ためつすがめつ見る内に。のう〳〵と座に直り。ヤイ女房。うろ〳〵と何をきよろつく。サア水神の祟《たゝり》で。三つ子も同前に気伕《ぬけ》さしやんしたこな様が。本性に成て剰《あまつさへ》。立派《りつぱ》な侍ィにならしやんしたに依て。ホヽ思ひかけなきは尤。附妖退散《つきものたいさん》して。本性に成たも侍に成たも。皆伊勢平太清盛公の御厚恩。コレこちの人。親仁様を人質にとられて。何が清盛様に御厚恩な事がある。サレハサ。凩《こからし》左伝といふ牢人者の首さへ討《うて》ば。親父様のお命は助つてお帰りなさるゝ。其左伝を釣《つり》よせんが為。先達て是へさし越れた。白拍子の式部は。サア。たつた今志賀寺の観音様へといはせも立（84オ）ず。ヤアお上より預け置れし女を。手放して遣すとは楚忽千万。か様なる義が平家方へ聞へなば。志賀寺に左伝が居るかと。疑が立ふぞよと。とうやら情有げなる詞にお霜が。ホンニ其気が付なんだ。ついちよつと見てかふかいと。立テば奥より元松が。かゝ様のふと目を覚して尋る声。ヱ、ひよんな時に目が覚た。こな様ンのるすに成と。めんよあの子は魘《おそはれ》たり寤《おひへ》たり。夜の目もろくに寝ぬはいな。ム、然らは守を枕もとに置てやりや。ヲ、それよ。浮御堂で親仁様に。受取て戻つた守の箱。戴さふと棚よりおろし。奥の間さして持て行。

ア、いか様。伏て小児が魘るゝも。身が此程。附妖《つきもの》にて脳《なやみ》しも同じ道理。か様の時香を炷《たけ》は。四時《しいし》不正の気を（84ウ）さんし。妖を除といふ。いで嗜の木を一炷《たき》と。棚なる革籠《かはこ》の内を捜《さが》し。香包《かうづゝみ》を取出し。たばこ盆の火入にうつし。くゆらせは芬々《ふんく》たる。濃香四方に薫《くん》じ渡れは。袂に入レつ身にうつし。ぶこつに似合ぬ源五郎香に齅《きゝ》入ル其折から。

地色ウ裏の径《ほそみち》立帰る。式部と倶にハル義朝公。垣根にイア、ラふ色しぎや。詞浦風に妙《たへ》なる薫《かおり》は。七年以前式部。汝に得させし桃園《もゝぞの》の名香。あれ見よ源五郎か炷《ク》からは。そちが失ひしとは偽り。ア、声が高い我君様。あの香を失ひしといひしには様子があれど。爰でぐど〳〵言訳せふより。ヲ、然らはあれへ行源五郎が所持して居る。子細をきつと詮義せよ。地ウ某はあの奥の一間に。忍でウ様子聞べしとのハル給へは。式部は心得わざとウ跫《あしおと》かさ高に。（85オ）内庭色伝ひ椽さき詞よりヤア源五郎様お帰りかへ。ヲ、式部殿。志賀寺の観音へ参詣と聞《キ》待兼ました。其筈〳〵。お上より預り者同前のわたし。下向を早ふと気はせかる丶。是見さしやんせ挑灯《てうちん》の火が消《きへ》て。うと〳〵と戻つたが。可愛らしい音《ト》がする。誰ぞ木を炷たかへ。成程拙者が嗜《たしなみ》の名香を炷《キ》ました。コレハ〳〵しほらしやと。地ウ式部は傍《そば》へさしハル寄て。見れは見知の香包。扨ウこそと思へ共。さあらぬ色体にて申源五郎様。詞おまへは此香をとうして持てござんすへ。ハレいな事を尋る人じや。サイナ。是にはわしが心有て。イヤ人の上を問《とふ》には。先手前の身の上からいふのが法。いかにも〳〵。そんなら此

式部から咄す程に。跡ではおまへの手に。其香の入た訳を。ヲ、いはふ共〳〵。して先ッ（85ウ）地ハルどうじ
やとフシ摺《すり》よれは。
詞サレハイナ。わたしは元ト遙カ東《あづま》の者成が。七年以前の夏石山の蛍《ほたる》見に。上つたと思しやんせ。聞しに増
る蛍谷《ほたるだに》の夜ルの景。星《ほし》に翅《つばさ》の有ルごとく。飛かふ景色《けしき》を。見物の人群集《くんじゆ》の其中に。京家の武士と思しき。
角前髪の侍ィ様ンが。竹の先キに生絹《すゝし》の網《あみ》。付添フ小者に籠《かご》取持せて。追つ廻しつ。蛍をとらんす其姿のかは
ひらしさ。地ウわしも見とれりやあちからも。ウ心有げな目遣ィ。ハル媚共を招《まね》き中よせ。心のウたけを岩木ならねハルば石
山の。石の小陰《こかげ》を仮寝《かりね》の床《とこ》。蛍籠を行燈《あんど》にして。互ィの顔をウ見つ見られつ。枕かはして寝た其ウ時の嬉しさ。
推量色して下さんせ。詞ハレヤレ心地よい事で有たの。サイナ。面白い最中《さいちう》へ母様が。宿屋から尋て見へたに
依て。互ィ（86オ）の名所《などころ》問フ間もなく。後チの形見と其殿御が給はりしは。今こな様の炷カしやんした。
桃園《もゝその》といふ名香。ム、すりや其時の男の胤《たね》を。身にやどしたといふ様な事かいの。サッテモ。おまへはよ

ふ御存。わたしが懐胎《くはいたい》を親達はしらずに。大内の美人揃ヘに召れしを。指上ふといはしやんす悲しさに。国本トを欠落《かけおち》して。乳母《めのと》がゆかり。伊勢の坂の下へ身をよせ。やゝは安ふ産だれど。育《そだて》て貰ふあだてなく。鏡山の白拍子に身を売て。六年ぶりで漸《やうく》と廻り合ッた。殿御といふは左伝様と。地ウ語る内よりお霜はハル元松色連レて出。詞ナフ式部様。始終の咄シをあれにて聞クに。おまへの産しやんした子は此元松と。地ハル引合すれば色ヱ、イ。詞それはほんかいなと地スヱテ抱《いだき》しめて泣沈む。詞サアおとゝし（86ウ）の春。夫ト源五郎殿参宮《さんぐう》の下向に。伊勢の坂ノ下の弥五八といふ者。女夫共に疫癘《はやりもの》で死で孤《みなしこ》に成て居たゆへ。地頭へ断ッて貰《もらふ》たとて。連レて戻らしやつた時。肌《はだ》の守リ袋《ぶくろ》に入レて有た名香が。地中ウ親子の名乗と成けるかと。ハルいへは色我子かなつかしや。詞石山にてとまりし子なれは。石松と名を付しに。名が替ェて有ゆへに気が付なんだ。左伝様のどこぞに聞てなら。地ハルちやつと顔が見たかろと。嘆けば元松。ウ稚《おさな》心に色聞分て。詞そんなら左伝様がとゝ様で。おまへがおれがかゝ様かと。地ハルいふ声洩《もれ》聞キ義朝は。奥の一ト間に忍泣キ。ウしんは泣寄ル血筋の縁理《ことは》りとフシこそ聞へけれ。

地色ウ源五郎は黙然《もくねん》として居たりしが。後《うしろ》に掛《かけ》し陳鎌《ぢんがま》ハルおつ取コレ色式部。詞お身は此鎌のわかち。能ク知て居やろふと。地ハルいふにきよつとし。ムウ。詞（87オ）めんような事を尋さしやんす。いかにも見れば。あそこに掛ケて有ル鎌と。手に持てごさんす鎌は。雌鎌《めがま》雄鎌《おがま》の二挺《てう》。ホ、左程弁《わきま》へしからは。此鎌の柄《えづか》に付し鎖《くさり》の尺《たけ》も。アイ知て居る共。天地四方に五行を表して六尺五寸。此わかちを問しやんす。こな様ンの身の上が聞たい。ヲ、問ず共いふて聞せふ是へおじやれ。地ハルアイとさしよる式部を蹴《け》すへ。鎌の柄《ゑ》取のべ丁々どウ打のめすを。

ウコレなふ待てとお霜元松取すがれは。色式部は中ウ漸《やうやう》起直り。ハル娥《かをよき》ウ花の姿も髪もはら〳〵中フシ涙。詞コレ源五郎殿。何科有てわしを打擲《ちやうちやく》。ヲ、うぬが為に身は兄。筋なき事に打擲せふか。不義不孝の妹。打殺したとて云分ンは有まい。ヱ、イ。扨はわしがちいさい時。と、様ンに勘当受（87ウ）さしやんした。おまへは兄の森丸様か。ヲ、サ。親人は鎌倉松が岡の大宮司清主《きよぬし》殿。先祖鎌足《かまたり》ノ大臣より伝りし鎌の家なれは。我レ稚《おさなき》より其術《じゆつ》に計ﾘ心をゆだね。生ﾚ付勇烈《ゆうれつ》成ゆへ。勘気を受て源五郎と名をかへ。此近江に憂《うき》世渡り。侘《わび》しき中へ父母も流牢《るらう》の身と成。尋てお出なされたは六年以前。様子を聞ｹは。うぬは忍ﾋ男の胤《たね》を身にやどし。大内の美《び》人揃《じんぞろへ》に行事を嫌ｲ。欠落《かけおち》ひろいだゆへ。父大宮司殿は勅勘《ちよつかん》を蒙《かふむ》り。今の名は五郎大夫。ヱ、そんならあの五郎大夫様がと、様かいの。 地ハル しらぬ事迚ﾃ ウ 勿体《もつたい》なやと。式部が悔《くやみ》義朝公。 ウ 尋捜《さが》す大宮司が。 ウ 安否《あんぴ》を聞ｨて今更に 中フシ 嬉しさも又涙也。

地色ウ お霜も倶にやるせなく。 ハル 縁はふしぎや式部様の産《うみ》 ウ の（88オ）子を。こちら女夫が子にせしも先達ﾁ ウ 給ふ。

詞 お袋様の引合ｾと。聞て驚き。ヤア母は死ﾅしやんしたか。 地スヱテ ハアはつと計ﾘにむせびしが。 地色ハル 皆わしゆへに親達 ウ へたんと御なんきかけました。 上 不孝を赦して下さんせと又さめ。 中フシノル ハル ぐ〳〵と嘆ｸにぞ。 詞 ヤイ。うぬが涙て洪《こう》水《ずい》がゆく程ほへた迚ﾃ。不孝の罪《つみ》が遁《のが》れふかと。 地ハル 兄が怒《いかり》に式部はいとゞ。 ウ 身の誤《あやまり》を顧《かへりみ》て ウ 忍ﾋ涙に義朝公。元松お霜に至ﾙ ウ 迄嘆ｷ フシ 沈《しづみ》し折からに。

地色ウ門ト の戸頬《しきり》に打叩《たゝか》せ。ハル上総が郎等岩塚兵内入来色り。詞最前此屋より凩左伝。安雄《あなふ》の里へ向《おもむ》きしよし。がつてうの金六といふ者の訴《うつたへ》ゆへ。地ハル源五郎が妻子を吟味せよとの主人の仰と。いふに臆《おく》せずお霜がさし出コレ

色申兵内様。詞五つや六つに成ル子供のいふた（88ウ）事を。いかに金六が訴人《そにん》すれは迚テ。地中ウとやかくとおつしやるはおとなハルげなふ色存ます。詞ヤア夫が侍ィになれは。俄にはぶしが強《つよく》なつた。左伝が行衛をしらぬといふ証拠が有ルか。サアそれは。地ハルサア何シと丶せり合フなかば。色椽ウの下屋《したや》をめつき〳〵と切破《やぶり》。ハルかつてうの金六がぬつと出るを。ちらりと見るより源五郎。はつしと打たる手練《しゆれん》の投鎌《なげがま》。頤《おとかい》かけて切込マれ。きやつと一ト声のフシつけにそれは。

詞ヤア〳〵主人上総ノ介殿の指図《さしづ》に依ッて、裏尻《うらじり》より密《ひそか》に窃《しのび》に入レ置れたる。金六を手にかけしは。源五郎二タ心かと切刃《きつば》を廻せば。へ、、、、。上総殿よりの窃《しのび》と知ッて殺しは致さぬ。椽の下を切破リ這《はい》出しゆへ。盗《たう》賊《ぞく》かと存シて。此ごとく鎌に引かけたれ共。一ト思ひに死《しな》ぬ様に。わざと急所は除《よけ》申た。（89オ）兵内殿。

我ヵ家内に御ふしんな義があらば。きやつに一々お尋なされと。片手に控《ひか》へし鎖《くさり》の端《はし》を。じつと引ヶは伏たる金六。アイタ、とむつくり起キる。血汐に染つて頬《つら》まつかい。繋《つなぎ》し猿《さる》のことく成ル鎌の手練《しゆれん》ぞ類ィなし。コリヤやい金六。宵《よい》より下タに忍び。聞出した事があらは早ク申せ。いかに〱と岩塚が声に漸《やう〱》眼《まなこ》をひらき。アイ左伝といふ牢人者は。義朝じやといふ事を。慥ヵに爰で聞ました。ホ、そりやでかした。シテ義朝が在リ家はどこじやと尋れは。傍《そば》からハア〱。式部お霜か気扱《あつか》ひ。嬉しやうんと金六が。手足を悶《もだへ》死すれは兵内。ヤア源五郎。金六が死たるはぜひもなし。左伝が本名を義朝と。聞出したは此家。右のしだらを主人上総ノ介殿へ申上る。人質《ひとじち》に取置ィ（89ウ）た親の命が助度クは。義朝が首引さげて跡からお来やれ。ホ、源五郎が身の申訳は。追付参て直に致スと。兵内を表へ送り門トの戸へはたとしめければ。心を奥に義朝公。お霜式部はうろ〱と。元松連レて傍《そば》に寄。コレ源五郎殿。こな様ンは今の様に。火急《くはきう》に受合ッて身の言訳を。何ンとせふと思しやんす。ハテ知レた事。左伝が義朝に紛レなき上は首打て。人質にいてござる。親父様の命を助る。コリヤ妹。先程より義朝が事さへいへは。奥の座敷へ心を付るそちが目遣ィ。いで一ト詮議とつゝ立上れは。コレなふ待てとすがる二人を振除突除《ふりのけつきのけ》。奥を目がけてかけ行を。元松諸共止る《とゞむ》はづみ引ク ひやうし。褶《すわう》は脱《ぬげ》てばら〳〵。肌《はだ》には小具足《こぐそく》七本篠《じの》の銲髄楯《こてすねあて》。むしやぶり取付ク（90オ）三人を振切ル内に義朝公。今は是迄いざこい勝負と。双方一度に抜合せ。ヤア。〳〵。やあ待てと互ィの夫トを止ムる妻。蹢《つまづき》転《まろん》で裾にまつはれ。袂にすがり鎬《しのぎ》を削《けづつ》て切結ぶ。刃《やいは》の下タに身を惜まず。あせるにかいもあら悲しや。戸口をめり〳〵下部に砕《くだか》せ。上総ノ介景純《かげずみ》。胴縄《どうなわ》かけし五郎大夫が。胸ナぐら取て鋒《きつさき》さし付。コリヤ〳〵源五郎是を見い。義朝が首討ッて渡さねば。爺《てゝ》めを今刺《さし》殺すが。何と〳〵と呼《よば》り〳〵。二人が勝負を見とるゝ隙に。覚悟極メし五郎大夫。我レと我ヵ身をぐつとさし付ケ。上総が鋒《きつさき》胸に貫《つらぬ》きふしければ。ヤア五郎大夫。何ゆへ死ヌると上総主従。あはてる声に抜身投出し源五郎。ア、早まり給ふな義朝公。手向ひは致サぬと。はやり切たる色螺《ほらがい》声。詞ヤイ上総。（90ウ）清盛の仰もなきに。人質を取しは汝が計ラひ。悪と知リつゝ親の命を。助ふ計リに平家へ組した。もふ是からは源氏へ味方。父の敵の儕が首。地ハルさらへてくれんと鎌ウ打振て。飛でかゝればウ手並に聞畏《きゝおぢ》逃行を。フシいづく迄もと追かけたり。

地ハルナフ悲しやとウ嫁娘。手負の父を内へ中伴ひ。ウ義朝諸共ハル痛《いたは》り中給へは。ウ敵を退《しりぞ》けハル取てかへす色源五郎。詞手は浅いぞ妹女房。身に添ヘてしつかりと抱《かゝ》へよ。コレ申親仁様。地ハル〳〵と呼中甦《いけ》られて。くるしげ成色息をつき。詞ヲ、なつかしや娘。あの孫の元松は。そちが設《まふけ》し。義朝公の公達《きんだち》と知たるゆへに。兄を義朝公へ。仕へさせん為計リに。上総介が突付る。地ハル抜身を胸へウ覚悟の色生害《しやうがい》。詞源五郎が今の振廻《ふるまい》を見て死ヌれば。地ハル思ひ置ク事少シも中なしと。ハルいふ（91オ）に元松ないじやくり。上コレなふ死ンで下さんな。ぢい様なふとキンしがみ付。中フシ泣悲しめは。

地色中義朝ハル嘆キの色隙よりも。詞ヱ、残リ多や五郎大夫を。大宮司清主と疾《とく》にしらば。地ウ我レも違《い》勅《ちよく》の科《とが》を遁レ。誰々にもハルかゝる嘆キを色かけまじきと。悔ミ給へは色源五郎。詞最前より義朝公。此家《や》に忍ヒ給ふと心付キ。敵に悟《さと》られまいと存るから。金六めを手にかけしに。左伝といふが義朝と。慥ヵにぬかしたばつかりに。事急に手詰メに成。父の命も助度ク。取逃した体に見せんと。うはべ計に敵対《てきたい》せしを。誠と心得親人の。早まつた御生害。ヱ、しなしたり残念やと。五臓六腑を。揉《もみ》上〳〵嘆クにぞ。痛《いた》手によはりし五郎大夫。ヲ、嬉しき躮が心体。そちを源氏に。味方させふとて心を砕《くだく》は。(91ウ) 爺《てゝ》親計リと思ふか。死ンだ母が三日以前の暁《あかつき》。身が枕《まくら》に立て告ヶしはな。源五郎夫婦が貧《まづ》しき中に老ィたる二タ親。攪《やつかい》に成ル悲しさに湖《みづうみ》へ身を投ケ。水底《みなそこ》より源五郎。〳〵と我子の名を呼ヒ。猟場《りやうば》を教《をしへ》し水神ンの所為ではない。此程矢橋で正気を奪《うばひ》しも。平家へ一味させまいと。先だつ母がなす業《わざ》也と。娘や孫が身の上迄を告ヶしに依て。何とぞ躮を源氏へ味方させふ為に。父が命を捨しぞと。いふもくるしき。息づかひ。流るゝ血汐に蘇命路《そめいろ》の。山より高き二タ親の。恵《めぐみ》の程の有難やと。大声上ヶたる夫トが諄《くりこと》妻も。妹も伏沈《ふししづ》む。

ヲ、取分ヶ式部は。悲しうなふて何ンとせふ。国を立退《のき》し時が。母が顔の見おさめ。久しぶりで廻クり合ッた。

父はいまはの此手負。親子の縁は。うす（92オ）けれ共。契りし人は。誰有ふ。源氏の大将義朝公。公達《きんだち》迄設《まふけ》しは。徒《いたづら》でない手柄《がら》者。今生の別レに。孫が顔が見て死たい。爰へこいと呼寄スれは。祖父《ぢい》様死ンでどこへいかしやる。おりやどつちへもやりとむない。否《いや》じや〳〵と踋躘《あしずり》し。嘆けはいとゞ。目もくらみ。ヲ、やさしい事よふいふた。今迄は養ィ孫と思ふたに。自然《しぜん》と廻る血筋の縁。本ンの孫で有ッた物。ぢい様〳〵と。片時離《はなれ》ず廻《まは》した筈。おれはもふ遠ィ国へ行ク程に。随分まめで大きうなれ。思へは〳〵。短《みじか》い縁て有たよな。名残おしやかはひやと。膝《ひざ》に引よせ。〳〵て。今を限りの其風情。夫婦四人はいとゞ猶。思ひましくる憂《うき》涙。伊吹颪《いぶきおろし》に湖《みづうみ》の。波を吹越スごとく也。

ハア嘆キに取紛レて失念《しつねん》せり。コレ〳〵嫁。預け置し（92ウ）守リの御《み》箱を。早く是へと云付て。ナフ義朝公。聟君と申スも恐レ多けれど。我カ先祖鎌足《かまたり》より。他門へ伝へがたき。其箱の内なる神霊《しんれい》の御鎌を。今般《いまは》の舅が引出物と。申もあへぬに義朝。某勅命《ちよくめい》を蒙《かふむ》り其御鎌を。尋んが為此艱難《かんなん》。こなたの本名承ると手前より。望ンで申受んと存る所と。頂戴《てうたい》有て恭《うや〳〵》しく。取出し給へは傍リもかゝやく。御鎌の光リ。源五郎大キに驚き。太切《たいせつ》成ル神霊を。鎌倉より守《もり》奉り今迄拙者に。ヲ、隠したる其心は。頻《しきり》に大内より御せんさくと聞し故。まさかの時其方に。難義《なんぎ》をかけぬ親のじひ。義朝公への願ィには。躮を御家人に遊され。敵征伐《てきせいばつ》の御馬の先キの。お役に立テて給はるべし。今より名を改メて。鎌倉の頭字《かしらじ》に。（93オ）堅田の田の字を取合せ。鎌田源五正清《まさきよ》と名乗リ。随分忠勤励《ちうきんはげむ》べし。ハ、有難き父のお指図《さしづ》。連添《つれそふ》妻マの置霜《おきしも》は長田が娘。一家心を一致《いつち》になし。君への忠義は此鎌田が。心魂《しんこん》に徹《てつ》し候と申上れは。ヲ、頼もしし〳〵。舅大宮司息有ル内に。我カ子元松が名も改め。嫡子《ちやくし》なれは源太義平《よしひら》と名乗ラすべしと。帯《たい》し給ひし鬼切丸をたびけれは。コレ〳〵祖父様侍ィに成ますと。誰カ教《をしへ》ねど一ト腰しやんと脇挟《わきばさ》み。天骨《てんこつ》備《そな》はる勇気《ゆうき》の粧《よそほ》ひ。理《ことは》りなるかな平治の軍サに。度《ど》々の武功を顕し給ふ。悪源太義平とは。此若君の事成けり。

地色ハル今般《いまは》の大色宮司嬉し詞げに。ア、最早浮世に長居は無益《むやく》と。地ウいふより早くとゞめの刀。コレハルなふ暫シと嫁ウ娘。

すがり尽《つき》せぬ（93ウ）色憂《うき》別レはかなく。フシ息は絶果《たへはて》たり。

地色ウかゝる折から多勢の人音ト。ハル義朝さとき色御大将。詞コリヤ／＼鎌田。又もや敵が寄セ来ると覚たり。早ク父が死骸を隠せ。地ウ此隙に二人の女は源太義平を伴ひ。ハル志賀寺へ早とく／＼とフシ追ィやり給へは。

地ハル案に違《たがは》ず上総ノ介。多勢を従へ色かけ来り。詞ヤア／＼両人遁レぬ所。覚悟《かくこ》／＼と罵《のゝし》れは。鎌田ノ源五から／＼と打笑ひ。ヤア逃ケたり来たり。頬恥《つらはぢ》しらぬ上総主従。我君の仇《あた》父の敵《かたき》。逢ィたかつたに能クうせた。地ハルしかウも大勢雁《がん》な中らひ。爰は所も堅田の浦。つらウなる雁首《がんくび》色一々ころり。ウ堅田に落ッるは何おふ一景。ハル雁ンは八百やたら切。フシうせい／＼と中いふ儘《まゝ》に。

地ハル左右に振《ふつ》たる雌雄《しゆう》の鎌。ウ飛くる奴原翅《やつばらはがい》打。弓ンの手に色払《はら》へは。ハツミめてにむら／＼フシ村。鳥の。地ウ芦辺《あしべ》に（94オ）寄スるごとくにて。ハルさつと一度に打かくるを。はつしと受ては切結び。丁々かつきと打立る。尖鎌《とがま》の光リウひらく〱ひらり　〱と翻《ひるがへ》す。風切おとし。とやおとし。陰《いん》に囲《かこめ》は切払ひ。陽《やう》に開《ひらけ》はなぎ立る。強勢《がうせい》手練《しゆれん》の働キに。叶ぬ赦ルせと逃散《にげちつ》たり。

岩塚兵内取てかへし。義朝目がけ無二無三に切付るを。さしつたりと渡り合イ。丁々はつしと戦ふ拍子《ひやうし》に兵内が。からりと太刀を打落トされ。逃るを蹴《け》すへて首打落せは。透キをあらせす立帰る鎌田ノ源五。又もやかけくるうんざい共。追立〱切ちらし。奉公始メに潔《いさぎよ》き。手柄《てがら》もよしや義朝の。願イも。叶ふ折もよし。よし〱平家の大敵に。随ヒ靡《なびく》草も木も。種《たね》を刈《かり》取ル鎌田が勢ひ。刃《は》切《ぎれ》尖《するど》き直《すく》焼刃鍛《きたい》に。鍛《きた》ふ忠信の誉レを。世々に顕せり（94ウ）

第八　勢多の夕照

夕陽人影《じんゑい》橋と倶モに長しと賦《ふ》したる。勢多《せた》の長橋引放ナして去年《こぞ》の冬より数ケ度《すかど》の戦ヒ。四方の関々打破《やぶり》近国の源氏入レ乱レ。久寿《きうじゅ》二年の春の空名におふ八つの。風景も。軍サの巷《ちまた》と成けるが源平の武功禁庭《きんてい》に隠レなく。和睦《わぼく》の勅 使《ちよくし》下向有リ湖水《こすい》の波風鎮《しづま》りて。俄カにしづらふ舟橋《ふなはし》に渡る夕日の影迄も。君の恵《めぐみ》の光リかや。

常盤御前は都より夫マの招きに駕《か》を待タず。金王丸を御供にて舟橋にさしかゝれは。向ふの方より義平《よしひら》の御手を引て式部は迎ィに出来リ。ナフお久しや常盤様。ヲ、なつかしや式部殿。先ッは勅 諚《ちよくぢやう》にて源平互ィに和睦有。神霊《しんれい》の御鎌を尋出し給ひし恩賞《おんしやう》に。夫マの義朝様は左馬《さま》ノ頭《かみ》に任《にん》ぜらる。清盛殿は安芸《あき》ノ守。景清鎌田は兵衛ノ尉《ぜう》。長田は庄司になりやつたげな。イカニモ〳〵。きのふ爰で臨時《りんじ》の除目《ぢもく》行《おこなは》れ。お勅使様は都へ（95オ）お帰り。清盛様も義朝様も御上洛《しやうらく》なさるゝ筈なれど。兄鎌田ノ兵衛と上総ノ介と。敵討チが有ゆへと。地ウ語れはさし色出る金王丸。詞コレ申若君。追付ケ爰で面白イ敵討の切合イをお目にかけますと。地ハルいふに常盤は色心付。詞サテハ此子が聞及ふ。義朝様の御胤《たね》か。今より我カ子も同前と。地ハル手を取リ給へは式部が色悦び。詞あなたがおまへの母君と。地ハル引合すれは色義平君。詞おれにどうしてかゝ様が二人有ルと。地ウあどなき根問イに式部は色おかしく。詞イヤ父上に問しやんせと。地ウ詞も晬《すい》な詰メ袖やウ振袖《ふりそで》姿の御本妻。フシそぐはぬ中カも睦《むつま》じし。詞イヤ申常盤様。牧馬《まきば》の琵琶《びは》を大内へさし上給ひしゆへ。御母関屋様のお命乞ヒも叶ひしとや。サイノそれに付キ女院様そもじの事をお聞及び。古《いにし》への紫《むらさき》式部の例《れい》に任せ。式部といふ名にめでゝ源氏の軍《いくさ》物語リを。具《つぶさ》に聞イて此ときはが筆に写《うつ》し。さし上ケよとの御仰と。地ウ望ミ給へは有し軍のハル有様を。ウ今見るごとく中語リける（95ウ）

源氏軍物語

【越前】【文字】中 まづ湖水《こすい》のこなたより南《みなみ》に当《あた》つて高々と。石を畳《たゝみ》し石山の。しげみもかたき片白《かたじろ》の。幕《まく》に色こき紋所《もんどころ》。笹《さゝ》りんどうのさしものに数の白旗《しらはた》へんぽんと。風になびきていさましく。雲に羽をのす。白鳩《しらはと》の。番《つがひ》離《はなれ》ぬ有様は。君の陣所《ぢんしよ》を氏神の守りも清《きよ》く明らけき。秋の月共石清水《いはしみづ》。すむも濁《にごる》も世のならひ。【越】されは過キつる戦《たゝかひ》ひは臘月《らうげつ》中カの五日とよ。源氏の陣所を攻《せめ》んとて。始《はじめ》て平家の舟ナぞろへ。【三人】矢ばせの浦《うら》より数《す》（96オ）百艘《さう》ろびやうしたてゝ波押切《なみおしきり》。矢先キ揃《そろ》へて射《ゐ》かくれは。【駒】味方は自然《しぜん》と石の楯金城《たてきんじやう》。【文】【三人】鉄城《てつじやう》累々《るい〳〵》然《ぜん》たる鉄門《くろがねもん》にもまさつたる。要害堅固《ようがいけんご》に身をひそめ戦はずして勝利《しやうり》を得《う》る。てだてに乗ッたる舟《ふな》軍《いくさ》【越】さし詰メ。【駒】引詰メ【三人】ゐるや巌《いはほ》に飛散《とびちり》。〳〵はら〳〵乱レ散ッたる枍《このはむ》武者《しや》。矢種《やだね》つくれは力《ちから》なく。我レも〳〵と帆《ほ》を上ケて帰る武者舟是ぞ此矢橋《やばせ》の。帰帆《きはん》と打ながめ。

越ハルフシ　中　三人ハル　ウ
味方はいさむ。折からに。比叡《ひゑ》の山風吹すさむ音トもはげしき松原の。葉ごしに聞ゆる三味の音《ね》は。と
入　色　ハル　ウ　ウキン　ウ中合　ウ　色　ハル
ちてん〳〵やつとや。ちんりつる〳〵つる〳〵坂それで松坂越たへ。松坂こへたやつ（96ウ）さ。さつさ
中キン　ウキン　ウ　フシ　ウ　フシ
踊《おどり》の手びやうしも敵《てき》の心を迷《まよは》して。濡手《ぬれで》に掴《つか》むはかりこと粟津《あはづ》の晴嵐《せいらん》。是ならん。
駒地ウ　ハル　ウ　ウ　色　越中
聞クに常盤も筆《ふで》をとめ。よくもしられし其次キの。軍《いくさ》の勝利は味方か敵か。きかまほしと有けれは。それ
ウ　ウ　ハル　色　文詞
ぞ。間近《まぢか》く三井寺の。要害頼ミに楯籠《たてこも》る。味方の出張油断《でばりゆだん》を見て。不意《い》を討んと平家の軍勢《ぐんぜい》。夜討《ようち》の手配《てくばり》
三人コハリウ　ウ　下　ウ　ナヲス　トル　中　ウ　越
手を合せ。　時分はよしと夕闇《ゆふやみ》に攻鼓《せめつゞみ》　攻太鼓《だいこ》。貝鉦《かいがね》ならし　鯨波《ときのこゑ》　おめき。さけんで押寄れは。
江戸ハル　ウ　中　ウ　ナヲス三人ウ　ウ　トル　合ウ
源氏は撞楼《しゆろう》に釣鐘《つりがね》の鳴《なる》を相図《あいづ》に打出《うちで》の浜《はま》。　いさごを蹴立《けたて》ゐい〳〵声　切つきられつ。討つ討タれつ
ハルフシ　中　越本フシ　ハル　ウ　中　三人
もゝたび千度《ちたび》の戦ひも。（97オ）勝《かつ》て兜《かぶと》の緒《を》をしむる。味方のかちどき。鐘の声手がらを三井の晩鐘《ばんしやう》と。
ウキン
聞クに付ケても潔《いさぎよ》や。
七ツユリ　越中ウ　ウタイ　ナヲス中　ウ　ハル　ウ
いとゞはげしき夜あ。らしの。音トも頻《しきり》に降雨《ふる》の。一ト木の松に滴《したゞ》るは　からさきに隠レなき。常盤御前

の生土《うぶすな》の。宮居間近き戦ひに。[三人]くらさはくらし足場《あしば》もおぼつか　波打際《ぎわ》。鎧《よろひ》兜《かぶと》もずぶ濡《ぬれ》にひ
た〱〱とかけよする。敵《てき》の多勢にかけ向ひ。追ッつまくつつ切ちらし生捕《いけどり》。分捕《ぶんどり》名を上しは。所に名
にし弓取や　[越]志賀ノ左衛門定村《さだむら》。数度《すど》の軍《いくさ》に打勝《かち》し。[駒][文]山本新羅《しんら》が高名も是には。いかでか増《まさ》るべき。
[三人]中　めては長浜《ながはま》べう〱たり。渚《なぎさ》に堅田《かたゝ》の落雁《らくがん》は。よせくる（97ウ）敵に。驚きてはつと立ては。さつと
おり。備《そなへ》を乱さぬ雁行《がんかう》の。士卒《しそつ》のかけ引謀《はかりこと》。[駒]詞 時に近江の旗《はた》大将。佐々木ノ源蔵義秀《よしひで》。[文]長田ノ四郎忠宗《たゞ》が。
小松の城を攻たりし。折もこそあれ降リつもる。[二人]中ウ 六ッの花びらかう〱と。[越]上 峰《みね》も尾上《おのへ》も。おかのへも。皆
白たへに。わかちなきひらの暮雪《ぼせつ》は。是とかや。
[駒][文]ハルフシ　扨又平家の御内《みうち》にも。誉《ほまれ》おほかる其中に。[越]中 清盛の甥《おい》の殿。花奢《きやしや》風流の経正《つねまさ》殿まだき若木の小桜威《おどし》。
[越][駒]君が名を得し琵琶《びは》の海。さゞ波けたてゝさつ〱さ。[文]ハル さらはそれから金王丸が自身《じしん》の咄《はなし》。前髪同士はよき
相手と。舟を早めて其間ィちかく（98オ）漕寄《こぎよせ》て。ながへの熊手《くまで》を鞍《くら》のまへわに引かけてひけは。[三人]下 ゆら

る、波の打物ひら〳〵。無念やながへを切おられ。又もや組《くま》んと近寄《ちかより》しに。駒 詞 経正討タすな。文 金王引ケと。

三人 中ウ 両大将の御ッ下知に。はつと別レて両陣へ。しんづ〳〵と入けれは。敵も味方も一同《どう》にときを合する折こそあれ。

中ウ 当国に名を得たる木村姉川　黒津《くろづ》の一類《るい》。源氏の兵《つはもの》　六千余騎《よき》。平家の多勢にかけ合せ此。勢多の手の陸《くが》には歩立《かちだち》。沖《おき》には兵船《へうせん》入乱レ。かいだて持楯《もちだて》打ならし。やいばの光リ電《いなびかり》。矢先は降ル雨降ル霰《あられ》　目ざましかりし軍《いくさ》の次第。是なん勢多の夕照《せきしやう》のながめを。筆にかきつばた。此糸硯湖《みづうみ》の波も。治まる物語リ

（98ウ）

地色 時しも聞ゆる人馬の音ト。小松の城より清盛父子《ふし》の御出馬《しゆつば》也と知ラするにぞ。サア〳〵最早敵討チの時刻《じこく》也と。渋谷が指図《さしづ》に常盤御親子式部も倶に。陳屋をさして入給ふ。

地色中 透をあらせず鎌田ノ正清。道具やフシ 周《まはり》金具の片白兜《かぶと》。緋《ひ》縅《おどし》の鎧打かけ。仙台黒《せんだいぐろ》の荒《あら》駒に白泡《あは》はませ。舟橋にさ

しかゝつて色大音上。詞相州《さうしう》松が岡の社司《しやし》清主《ぬし》が躮。今度の軍ｻの勲功《くんかう》によつて。昨日除目行《ぢもくおこなは》れ。鎌田ノ兵衛
正清父の敵上総ノ介景純見参《げんざん》せんと。フシ呼はつたり。
地色ハル平家の陣には斯ｸと聞付色上総ノ介。ウコハリ南蛮鎖《なんばんぐさり》の大鎧。ハル鍬形《くはがた》打たる　ナヲスウ五枚兜を猪首《ゐくび》にフシ着なし。地色ハル柑子騎《かんじくりげ》の駿足《じゆんそく》
色に打蹲《またがり》。詞ヤア〳〵此景純に見参せんとはおこがましき鎌田ノ兵衛。源平倶に和睦《わぼく》の（99オ）済ﾝだ上なれ
は。汝が首を取たりとて益《えき》なき事とは思へ共。不便ながらも返討《かへりうち》じやが合点か。ホ、ホ、、、、身の程
しらぬ無用の広言《くはうげん》。正清が手練《しゆれん》を得たる。此鎌にてたつた今。汝が首とる観念《くはんねん》せよと。地ハル射向《いむけ》の袖に鎖《くさり》を
ウしごき。色鎌をひねつてかけ向へは。詞ヤア竜車《りうしや》に向ふ蟷螂《かまきり》め。車切に打放さんと。地ハル上総も臆《おく》せず太刀色抜かざ
合江戸中ウキンし。片手靮《たづな》にかつし〳〵ウかし〳〵〳〵。合ハルウ駒の足並《なみ》湖水の波。中ウキン舟橋のフシ板踏とゞろかしウコハリ踏ならし　ナヲスウキン夕日に
ひらめく。ハル鎌の電光《でんくはう》。クル刃《やいば》の光ﾘひらり。〳〵とフシ切結ふ。
江戸中ウキンいともはげしきハル浦風のウ。音ﾄにたぐへてウちりりん〳〵。合ウ轡《くつわ》の音ﾄウや鎧の袖。なぐ手ひらく手ウ神変《じんべん》自在の鎌の

手に。防《ふせぎ》兼て上総ノ介。駒立テ直し逃出す兜のてへんに鎌打立。（99ウ）ゑい〳〵と引ク拍子。上総が片腕《うで》切落され逃るを透さず。又もや腕《かいな》に引かけて。切て落せは骸は馬上にずんぼろ武者。駒かけよせて首掻《かき》落す逆手《さかて》鎌《かま》。父が敵討ッたりと味方の。陣へ入けれは。

源平の両大将手勢引ぐし舟橋にさしかゝり。清盛声かけ。是迄敵味方と隔《へた》りしも私ならぬ公《おゝやけ》の御咎め。神霊《しんれい》の御《み》鎌を尋出されしゆへ。勅命を以て源平和睦するからは。必遺恨《ゐこん》残されなと有けれは。左馬ノ頭義朝。ア、何が扨憤《いきどおり》を残すべき様はなし。我カ郎等鎌田が親の敵とはいひながら。清盛殿には相伝《さうてん》の上総ノ介を討せ。嘸ほいなく思されんと。挨拶あれは重盛すゝみ出。イヤ左様の事に屈《くつ》する父清盛にあらず。勝負は時の運とはいへ共。鎌田兵衛が鎌の手に鍛錬《たんれん》せし（100オ）ゆへぞかし。是より直ク源平一所に都へ上り給ふへきが。暮レに及だれはいかゞ有んとの給へは。イヤ〳〵夜に入て御上洛あらんより。明日へ相延され然るべしと。七兵衛景清長田ノ庄司。口々に止ムれは清盛。ヤア旁《かた〳〵》。源平和睦してかゝる目出度キ都入。

明日迄延すべきか。我レ安芸ノ守に任官《にんくはん》したる威勢《ゐせい》の程を見すへしと。日《地ハル》の丸の扇を披《ひらい》て招るれは。勢《ウ》多の
夕照車輪《しやりん》のごとく。立上る日影《ウ》につれて。源《ウ》平和睦の都入。旰《ゆふひ》を招きし今此時の故事《ふる》を。安芸ノ国おんど
の瀬戸《せと》と云ィ伝へたる世の諺《ことわざ》。鵺《ぬへ》といひし怪鳥《けてう》《ウ》の出しと。いふも異国《ゐこく》の聖代《せいたい》に青鸖《せいだく》《ウ》といふ霊鳥《れいてう》の。出現《しゆつけん》
したる目《ウ》出たきためし有明の。月雪花の詠メ《ウ》もまさる詩《からうた》や。栄行《さかゆく》近江八景《ウ》の。八つの隅《すみ》迄豊カ《ウフシ》なる君が。
国こそ久しけれ。

浅田一鳥
延享二乙丑年二月廿七日　作者連名　豊岡珍平
但見仙鶴（100ウ）

伝奇新腔製様扮戯末生且浄扭浄
寓著木梗文儀赫武儀凛那活手段
具託絃誦該貫伍齣付了笑楽院本
俺的詞曲者流清傚之云耳
豊竹越前少掾
大坂心斎橋南四丁目西側正本屋
西沢九左衛門板

解　題——詩近江八景

◎底本　早稲田大学演劇博物館（ロ 10-01068）
◎体裁　半紙本　一冊
◎表紙　原表紙か
◎題簽　刷題簽
◎行・丁数　本文七行　一〇〇丁（実丁）
◎丁付　詩　壱～詩　五十六・詩　五十七八・詩　五十九～詩　百、詩　百壱終（ノド）
◎内題　詩近江八景
◎奥書　有
◎作者　為永太郎兵衛（内題下）
浅田一鳥・豊岡珍平・但見仙鶴（本文末）
◎奥書　有
◎板元　（大坂）西沢九左衛門
◎番付　有
番付の外題表記「伊勢《いせ》平太清盛《きよもり》／陸奥《みちのく》太郎義朝《よしとも》　詩《からうた》　近江《あふみ》八景《はつけい》」
◎絵尽　有
◎初演　延享二年二月二十七日　大坂豊竹座
『義太夫年表　近世篇』第一巻一五七頁参照

◎主要登場人物
摂政九条忠通　宇治の宰相時長
平清盛（伊勢平太）　お関（梅津源左衛門の妻関屋）
難波新五経高　荒川寺全行律師
陸奥太郎源義朝　白拍子式部（大宮司清主の娘）
渋谷金王　長田前司利宗
長田四郎忠宗　常盤御前
長田四郎妻小夜鶴　上総介景純
岩塚兵内　鳴海丹蔵
上総七郎景清　彦根小鷹
花屋の長　源五郎（後に鎌田源五正清）
椙子金六　源五郎妻お霜
元松（後に悪源太義平）　平重盛
庄屋頓兵衛　撫子（平経正）
五郎大夫（松が岡の前大宮司清主）

◎梗概
［第一］　石山の秋の月
（記録所）13頁3行目～18頁3行目
近衛院の御宇、摂政九条忠通公、宇治宰相時長らが記録所で帝の御病気の原因を論じている。忠通は「藤原鎌足が代々の帝の守りとして相州松が岡に奉納した鎌を前大宮司清主が持ち去ったのが原因だという陰陽師の占いに基づき、女院が詮議のために下向させた源義朝が帰京しないのは不審だ」と言う。宰相は「近江国の按察使平清盛によれば義朝は鎌倉に下らず鏡山に逗留しているので、清盛に義朝の罪を糺させるよう」願い出て聟義朝を庇うつもりはないと述べ、控えていた清盛を呼び出す。忠通は清盛に義朝を召捕れと命じつつ、代々の源氏の朝廷への忠勤に免じて義朝の罪を除くよう示唆し、宰相にも義朝への異見を促す。

丹州竹野の宮造が参上し、何者かが東三条の森の枯木に釘で呪詛したのが帝の御病気の原因だと奏する。清盛は帝呪詛の曲者の詮議も引き受けて忠通や諸卿を感心させる。

(石山寺) 18頁4行目~29頁10行目

宇治宰相は帝の病気平愈を名目に石山寺に滞在し、他の参詣人を止めて月見に興じている。清盛の郎等難波新五が多くの高札を立てさせ、宰相に対面する。宰相は義朝が捕えられたことを確かめるために石山に来たと言い、新五は近江の国境に七十余りの新関を設けて詮議の最中だと答える。宰相は、義朝に罪を着せ、摂政忠通を追放して自らが天下を握る企みを口外して石山を去る。

宰相が去ると人止めが解かれ、門前の往来も元に戻る。茶屋を再開したお関に声をかけたのは、比叡山で百日の行を終えた息子荒川寺の全行だった。お関は水茶屋を営むも夫梅津源左衛門貞行が盗難の責めを負った牧馬の琵琶の詮議のためだと語り、全行は良い主人が見つかったと言う。お関が全行の妹常盤は義朝の云号なので源氏に付くよう促すと、全行は義朝に謀反を勧め、近衛院を追放して父の鬱憤を晴らすと言う。お関は、父が琵琶の腕で劣る近衛院に陥れられて流罪になったと邪推する全行を諌めるが、その影が頭は猿、尾が蛇、手足が虎の異形なので恐れ慄く。全行は秘印で影を人の形に戻し、かつて近衛帝を呪詛した時に頼政が怪鳥を射ても自分には別条なく、今再び帝を呪詛していると言って駆け出して行く。お関は全行の跡を追う。

源義朝が白拍子式部と舟で漕ぎ寄せる。石山は二人が七年前に蛍狩で馴れ初めた地だった。お関が式部と再会し、義朝に高札を示す。渋谷金王丸が駆け付け、平家方が義朝を捕えようと近江国の各出口に関を据えたと告げるので、義朝は式部を金王丸に託し、お関の舟で石山を去る。金王丸は追手を払いのけ、式部と鏡の宿を目指す。

[第二]　辛崎の夜の雨

（辛崎一ツ松）30頁2行目～34頁3行目

宇治宰相は辛崎に移動し、琵琶を弾いて辛崎の神に手向ける。仕丁たちは在家へ酒を飲みに行く。激しい雨と波風の中、お関が義朝と辛崎に漕ぎ寄せた。義朝は、常盤の兄全行や源氏の諸士と挙兵すると言い残して別れて行く。

義朝を見送ったお関に車の中から宰相が声をかける。以前から関屋（お関）を口説いていた宰相は、靡かなければ義朝の行衛を詮議し、娘常盤を殺すと脅して関屋を意に従わせる。宰相は関屋を車に乗せて都の館に連れ帰る。

（京三条通宇治宰相館）34頁4行目～43頁6行目

三条通の宇治宰相の館では、前夜帰館した宰相が寝所に直接車を付け、一夜が明けた。老臣長田《ながたの》前司利宗は、茶道の林弥と妼の青葉に、父の宰相が常盤御前に至急の対面を願う由を女院の御所に伝えよと命じ、自身は足形や血痕をたどって、血に染まった宰相の佩刀を発見する。

六条判官為義の使者として、長田《おさだの》四郎の妻小夜鶴が襠姿で、為義の子義朝と常盤御前の結納の品として銘酒の壺を届ける。前司は嫁を自称する小夜鶴に、勘当した息子長田《ながたの》四郎とは姓が違うと言うが、小夜鶴は、宰相に暇を出された長田《ながたの》四郎は妹置霜の送金で身辺を整えて為義に仕えている、その際に文字はそのまま長田《おさだの》四郎と改姓したと語り、勘当の赦しを乞う。前司は、長田《おさだ》四郎が一つの功を立てれば勘当を赦してもよいと言う。女院の御所から常盤が下がって来るので、小夜鶴は奥の一間に身を隠す。

前司は常盤に宰相の死骸を見せ、宰相は前夜、車を直接寝所に付けた、枕元には辛崎の松の一枝があった、宰相秘蔵の琵琶は盗まれたと語り、無念の涙を流す。常盤は養父宰相の敵討も夫義朝が不在で思うに任せぬと嘆く。前司も敵討に役立たない高齢の身を嘆く。

小夜鶴が壺を割ると中には長田《おさだの》四郎がいた。四郎は、主君為義が未明に宰相の館から逃げる曲者を見たので前司への力添えを命じられたが勘当を憚って壺に忍んでいた、常盤御前の敵を必ず討ち取ると言う。夫を思う小夜鶴と夫の放埓を諌めに鏡山に赴きたい常盤が前司に四郎の勘当赦免を願うと、前司は突然腹を切る。前司は四郎の勘当を赦し、四郎は生きて常盤の先途を見届けよと言って四郎夫婦に妹置霜を託し、三人と義朝が琵琶を証拠に敵を討つことを願って息絶える。常盤は四郎夫婦と敵討に出立する。

［第三］

（常盤ノ前道行）43頁8行目～46頁6行目

常盤の前は長田四郎・小夜鶴夫婦と薬売りに身をやつし、夫義朝を訪ねて近江国を目指す。三人は石清水の男山の神水で調合したという口上で二度丸を売りながら、粟田口、山科、辛崎の一つ松を経て大津へ向かう。

三井の晩鐘

（逢坂の関）46頁8行目〜59頁1行目

清盛の家来上総介景純が逢坂の関の番をしている。都から来た女が関を走り抜けようとするので上総介の家来岩塚兵内が見咎める。女はお関と名乗り、役人も顔見知りだと言うが、身分不相応な琵琶と血まみれの服を咎められる。お関が「都で吐血して死んだ伯父の検校から琵琶を形見に譲り受けた」と嘘を並べるが、上総介はお関が人を殺して琵琶を盗んだと察し、清盛の御前で詮議することにする。

関所の当番は上総七郎景清に替わるが、家来鳴海丹蔵が来て景清は遅参と告げる。上総介はお関を小松城へ伴う。薬売りにやつした長田四郎が小夜鶴、常盤と関に来る。四郎は男山正八を名乗り、切手不要の自分の見知らないのは役人が新米ゆえだと言って関を通ろうとする。丹蔵は正八のみ通行を許して連れの二人は通さない。丹蔵が常盤を妻に欲しがるので、四郎は「云号がある」と断る。すると、丹蔵は云号は義朝で女は常盤かもしれないと言う。四郎は小夜鶴たちと石場で合流することにして先に関を越える。

景清が清水寺から下向し、常盤を無理に口説く丹蔵を追放する。三井寺の入相の鐘の音で関が閉ざされ、常盤と小夜鶴は悲嘆に暮れる。丹蔵が再び常盤を口説くが、関所からの矢で射殺された。見ると矢文は関の切手で、二人は景清に感謝して関を越える。

［第四］　粟津の晴嵐

（粟津松原）59頁3行目〜65頁2行目

粟津の松原に式部と長田四郎と常盤、小夜鶴の一行が来合わせる。小夜鶴は、二度丸を源氏の恋人への土産にしたいと言う式部に、男山正八夫婦と妹のお松だと名乗る。式部は常盤一行だと察し、義朝に会いたいという常盤を小松の城で自分が舞う時の囃子方として同行させようと言う。常盤一行は鏡の宿での再会を約束して石山へ向かう。

式部は追剥に襲われ、重盛から拝領の花摺衣の水干だけは見逃してくれと懇願する。追剥は拝領の品は処分が難しいと許すが、手荒に扱うので水干は風で飛んで行く。長田四郎が駆け付け追剥を追い払う。一同は鏡の宿に向かう。

（鏡の宿花屋）65頁3行目〜79頁3行目

鏡の宿の花屋は遊女を大勢抱えて繁盛している。長の娘式部が帰るが、長は小松城の役人と面会を促されて会所に向かう。式部が義朝の詮議かと案じていると囦左伝こと義朝が渋谷金王丸と忍んで来る。式部は喜び、父が呼び出されている旨を伝える。金王丸は荒川寺の全行と蜂起して小松城を落とす計略を告げるので、義朝は金王丸を送り出す。

式部は義朝に常盤が花屋に来ていると教える。元服前の義朝と恋仲だった式部は悋気もするので、義朝は二階で常盤が聞くと知らず式部を宥める。そこに主馬判官盛久を名乗り追剥の小鷹が乗り込んで来る。小鷹は粟津で風に飛ばされた拝領の水干の代わりの品を整えてやると言って花屋の長から金を騙し取ろうとするが、水干の詳細を答えられず、義朝は曲者だと気付く。小鷹は式部の様子から義朝が二階にいると察して踏み込むが、降りて来たのは常盤と小夜鶴だった。二人は囦・左伝を名乗る囃子方だと言って囃子を打ち、式部が羽衣の舞を舞う。小鷹は長から金を受け取るが、長田四郎が金を取り戻し、鏡の宿への道中で水干を入手した経緯や、その時の身の軽さが目に止まって平家に抱えられたことを話す。小鷹は逃げ帰る。

二階から義朝が駆け下り、平家に仕えた四郎の不忠を責め、四郎の荷箱の中の刀で打擲する。四郎は平家に仕えたのも義朝が手にした刀ゆえだと言う。四郎は都で為義から義朝を切腹させるために源氏重代の鬼切丸を預かっていた。義朝は短慮を詫びる。為義の恩を忘れぬ四郎も義朝を切腹させまいと考えた胸中を明かし、常盤の母関屋の命を助けたいと言う。義朝は四郎に、父為義と不仲になるなら自分にも容赦無用と述べ、後に長田が義朝を討つ伏線となった。

義朝は、女院から鎌の探索の命を受けた時に盃に映る三日月を鎌に見立てて女院と連歌を詠んだこと、式部の父が失踪した鎌倉松が岡の神職なので、鏡の宿に娘を訪ねて来ると期待して逗留して勅勘を受けたことを語り、涙を流す。

義朝は大宮司を探し出すため、常盤と小夜鶴には式部と小松の城に入り込んで常盤の母関屋の命を助けるように命じ、自身は鬼切丸を持って矢橋から志賀の隠れ家に向かう。式部は水干を着して舞い、義朝を見送る。

［第五］　矢橋の帰帆

（矢橋の浦）79頁5行目～85頁9行目

伊勢国から矢橋に戻った平清盛が重盛の義朝詮議が手温いと苦言を呈していると、盗賊の小鷹が鏡の宿で義朝を見たと注進する。小鷹は義朝が舟で志賀の浦に向かったと言って義朝を捕えに行くので、清盛は難波に後詰を命じる。小鷹は義朝に追い付くが斬られ、難波は義朝の後を追う。

堅田の漁師源五郎は楫子たちと大鮒を捕り、息子の元松も恐れずに鮒を扱う。源五郎は楫子の金六に鮒を与えて元松を送るように頼み、自身は大津へ向かう。凩左伝を名乗る義朝が堅田まで乗船を乞う。源五郎はかつて恩を受けた義朝なら乗せても見知らぬ者は乗せられないと断るが、船が動かない。源五郎は水底からの声に呼ばれて気絶するが、義朝の介抱で息を吹き返して送って行く。難波も後を追うが、義朝が手裏剣代わりに放った包丁で息絶える。

[第六] 比良の暮雪

(小松城奥御殿) 86頁2行目～95頁4行目

近江国南小松の城では、式部の今様や唱歌で重盛の母弁の方の気を紛らしている。清盛は高櫓から近習と遠眼鏡で眺める重盛を呼んで取り締まりの緩さ、特に琵琶を盗んだ女への丁重な扱いに苦言を言う。重盛は、女が所持するのは大内の重宝牧馬の琵琶で、帝を調伏した者もそれを手掛かりに判明しそうである、詮議のため式部が義朝と恋仲だと承知で呼び寄せた、囃子方の鶴は長田四郎の女房、お松は常盤だと述べる。常盤が美しいと聞いていた清盛は心ときめく。重盛はさらに、櫓で遠見をする新参者は長田四郎だと言う。清盛は、義朝の詮議に専念するよう進言する重盛に従い、式部を呼ぶ。式部は清盛の尋問に気丈に答える。

上総七郎景清が重盛の師、叡山の照空阿闍梨の書状を持参する。上総介景純も参上し、堅田の源五郎の焼き印のある包丁が胸に刺さった難波新五の死骸が見付かったので源五郎を連行したと述べる。付き添う庄屋が源五郎は水神の祟りで正気ではないと言うと、清盛は鵜ノ丸の剣をかざさせて源五郎を正気に戻す。奥庭の松に一本の矢が飛んで来る。重盛が現れ、射落とした雁が咥えていたという式部への恋文を披露すると、式部は義朝が志賀か堅田に忍んでいると喋ってしまう。重盛は源五郎を許して義朝の探索を命ずる。清盛も式部を源五郎の家に置いて義朝を誘い出せと命じ、源五郎を武士に引き立てて堅田に帰す。清盛は偽文で式部に義朝の居所を白状させた重盛の計略に感心する。

長田四郎が琵琶指南の女が荒川寺から城に戻ると言上する。昔宇治宰相に仕えていた四郎は女が楽人梅津源左衛門の妻関屋だと見知っていた。清盛と重盛は四郎の腹を探る。

(小松城門前) 95頁5行目～112頁9行目

入相の鐘が響く中、関屋は妣撫子と雪道を小松城に戻る。

関屋は撫子に荒川寺で息子全行に会ったことを口外するなと言い、召し上げられた琵琶を借りて亡夫の逮夜に一曲手向けたいと望む。撫子はその希望を重盛に伝えに行く。

雪の中白装束で城に来た全行は、源氏勢が今晩小松城を攻め、国境の関所が開けば義朝が東国へ遁れる手筈だと関屋に語り、早く牧馬の琵琶を手に入れたいと言う。関屋は琵琶の貸与を重盛に望んであると言い、全行を忍ばせる。

お松を名乗る常盤が重盛から預かった牧馬の琵琶を関屋に渡す。常盤は琵琶を一見して、宰相秘蔵の琵琶を持つ関屋に親の敵と詰め寄る。関屋は宰相を父と呼ぶお松が三歳で養子にやった娘常盤だと知るが、母だと明かさず、親の敵は城内にいるので夜更けに再び城門に来れば敵を討たせようと言う。常盤は敵討の手引きを期待しつつ城内へ戻る。

関屋は全行に常盤は実の妹だと教え、牧馬の琵琶を渡す。全行は琵琶を盗んだのが宰相だと知れたので帝の調伏をやめると言う。長田四郎が全行を捕えようとするが、全行の呪文で気絶し、全行は琵琶を持って逃げる。

常盤と小夜鶴に介抱されて正気を取り戻した四郎に、小夜鶴は常盤の敵は城内にいると判明したことを伝える。様子を聞いた関屋は刃物無しで敵が討てるかと常盤と小夜鶴を挑発し、常盤の抜いた懐剣を自らの腹に刺す。二人は関屋の自害に驚くが、四郎は青ざめ震える。関屋は四郎が臆病を装って関屋を助けようとしていると見抜いていた。「母の命を与える」という言葉で、常盤は関屋が母だと知る。四郎も関屋が常盤の母と知りつつも言わなかったと明かす。小夜鶴は関屋に宰相を手にかけた経緯を訊ねる。

手負いの関屋は、「前年の秋に辛崎の一つ松で出会った宰相から、長年の執心が叶わぬ腹いせに娘常盤を殺すと脅され、枕を交わすよう強要された。関屋に心を許した宰相は、関屋の夫源左衛門が宮中から預かった牧馬の琵琶を盗んで紛失の罪を源左衛門に着せたと語った。関屋は夫の敵の宰相を酒に酔わせて討ち取り、その後も二人の子が可愛さに自害できずにいた。牧馬の琵琶は宮中へ返すよう兄の全行に渡し、妹の常盤には養父の敵を討たせようとした」と物語り、常盤に父の敵の自分を討つよう促す。常盤は実の母を手にかけたことを悔やみ、四郎も話を聞いた以上関屋を討てないと言う。関屋は常盤に、義朝との子を設けて源氏の子孫を繁栄させるのが親への孝行だと言い残して自身でとどめを刺そうとするが、清盛が現れて制止する。重盛が一つの箱を携えて現れ、帝を調伏する全行の願書が比叡山の鼠櫓に納められていたことを明かす。

清盛は、懇意だった宰相の娘の常盤と旧臣の長田夫婦は許すが、全行と牧馬の琵琶を盗んだ関屋は許さない。重盛は、関屋が秘曲を伝授した妣撫子は実は平経正で、関屋に同行して始終を見届けたと明かす。そこに景清が牧馬の琵琶と全行の首を持参した。関屋は全行の首に向かい、帝を調伏した天罰で父は喜界が島の土となり、母も全行も不幸な死に様で不憫だと嘆く。常盤は兄の首との対面を悲しむ。

全行の願書を見た重盛は、仁平三年の帝の御悩も全行の仕業で、源三位頼政が怪鳥を射て猪早太が九刀刺したと言われるが、実は弓の鳴弦や蟇目の響きを鵺の声と聞き誤ったものだと言い、再び帝を呪詛して生きながら鵺の形となるほど悪念深い全行を討った景清の高名を称える。清盛も重盛の聡明さに感服し、関屋の疵は軽いので保養させよと景清に命じる。清盛は、自分を母関屋の身替りにしてくれと懇願する常盤に、牧馬の琵琶を宮中に差し上げ、その恩賞に母関屋の助命を願えと言って常盤への温情を見せた。

折しも源氏勢の太鼓鉦が響くが、重盛が経正の報告を受けて配置した伏せ勢に撃退される。平家の赤旗が翻り、長田夫婦と常盤、関屋は清盛・重盛や景清と別れて都へ帰る。

［第七］ 堅田の落雁

（堅田の浦）113頁2行目～118頁9行目

十二月初旬の夜、堅田の浦を歩む源五郎の子の元松ががっちょうの金六に出会う。元松が困左伝を安雄の里へ送った帰りだと喋ると、金六は平家の上総介に訴人に行く。

後を追う元松を浮御堂から現れた祖父五郎大夫が引き留める。嫁のお霜も元松を迎えに来る。五郎大夫は安雄で左伝の供をすると言い、どんな憑き物も平癒する守り箱を封のまま神棚へ上げておくようお霜に託す。五郎大夫は、源五郎の憑き物は箱を戴かせて直し、我が子を左伝の急難に役立たせる所存だった。そこへ左伝こと義朝が現れる。義朝は、上総介が源五郎を連れて自分の詮議に来るので安雄から戻ったと語る。五郎大夫は義朝を浮御堂に隠す。

岩塚兵内が庄屋の頓兵衛と縄網をかけた駕籠を伴ってやって来る。兵内は、源五郎の憑き物は清盛の太刀の威徳で本性に戻った、主人上総介の到着は遅れる、駕籠に乗せて来た式部を源五郎の家に置いて義朝をおびき寄せる計略だと語り、五郎大夫を人質とする。五郎大夫も我が子源五郎の身替りなら仕方がないと、守り箱と元松をお霜に託して連行されて行く。お霜は式部を預かって堅田に帰る。

兵内らが帰ると義朝が浮御堂から現れて式部と再会する。義朝は式部に、自分が堅田に忍ぶと平家に知られた経緯を訊ねる。義朝は、蘇武の故事を真似た重盛の計略に式部が騙され、源氏方の計略も洩れていたことを嘆き、志賀寺に赴き、正気に戻った源五郎が義朝方に付くかどうか、知らせを待つことにする。式部は義朝との再度の離別を悲しみ、義朝も夜の雁の声を聞きながら別れて行く。

（源五郎住家）118頁10行目～135頁7行目

堅田の漁師源五郎は平家に召し出され、義朝の居場所がわかるまで父五郎大夫が人質となっている。お霜は式部とともに舅五郎大夫の指示通り、守りの箱を神棚へ上げて祀っている。子の元松は居眠りをしている。

式部が義朝を堅田に呼び戻そうと志賀寺に赴く。そこに供を大勢連れた源五郎が帰る。お霜は水神の祟りを受けた源五郎が正気に戻り、どてら姿から立派な武士になったことに驚く。源五郎に叱責されたお霜が式部を呼びに行こうとすると、元松が目を覚ます。元松を落ち着かようとお霜は神棚の守り箱を奥へ持って行く。源五郎も持ち合わせた香を焚くと芳香が立ち込め、源五郎自身もそれに聞き入る。

式部と裏道から戻った義朝は、薫るのが七年前に自分が式部に渡した桃園の名香だと気付き、香が源五郎の手に渡った経緯の詮議を式部に命じる。式部が源五郎に香の入手の経緯を訊くと、源五郎は先に式部の身上を答えさせる。

式部は東国出身で、七年前に石山の蛍狩で契りを結んだ若侍から再会までの形見に受け取ったのが源五郎が焚いていた香である、親達が自分の懐妊を知らずに宮中の美人揃えに差し出そうとしたので、出奔して乳母を頼り、伊勢・坂の下で子を産んだ後、鏡山の白拍子となった、再会した恋人は左伝だったと語る。お霜は、元松は式部の子だと言う。元松は、源五郎が一昨年の伊勢参宮の帰りに坂の下で貰った孤児で、守り袋の名香が親子識別の決め手となった。話を聞いて元松は驚き、義朝も奥で忍び泣きをした。

源五郎は後ろに掛かる一対の鎌を取り、鎖の長さを訊ねる。式部がそれと答えると源五郎は式部を鎌の柄で打ち据える。式部は源五郎が幼い頃に父に勘当された兄だと気付いた。源五郎は、父大宮司は式部が宮中の美人揃えに出ずに出奔したため勅勘を受け、今は五郎大夫と名乗っていると語る。義朝は大宮司の消息を知って嬉し泣きをする。

お霜は元松を伯父の源五郎とお霜が育てたのは亡き母の導きだと言う。式部は母の死を知り、自らの不孝を嘆く。

そこに岩塚兵内が詮議に来る。がっちょうの金六が凧左伝の居場所を訴人したのだ。潜んでいた金六が縁の下から姿を現すと源五郎は鎌を金六の顎に命中させる。兵内は忍びに手にかける源五郎を二心と責める。鎌の鎖に繋がれた金六は猿回しの猿同然で源五郎の鎌の腕は比類ない。金六は左伝は義朝だと言って息絶え、兵内は源五郎の家で左伝が義朝だと判明したと主人上総介に伝える。上総介は人質の五郎大夫の命は義朝の首と交換だと言って帰る。

源五郎は式部の目線から義朝が奥に居ると悟り、人質の父を助けるため踏み込もうとする。義朝が現れ二人は切り結ぶ。上総介が来て、源五郎に義朝の首を渡さねば人質の五郎大夫を殺すと迫るが、五郎大夫は上総介の刀で自らを刺す。すると源五郎は、平家に味方したのは親の命のためで、その親が自害した以上源氏方に付くと宣言し、鎌で上総介に飛び掛かる。五郎大夫は源五郎を源氏方に付かせるために自害したと言い、義朝は五郎大夫が大宮司だと知っていれば違勅の科も受けなかったと悔やむ。源五郎は源氏に敵対するふりをしてかえって父を自害させたことを嘆く。

痛手の五郎大夫は、夢枕に現れた源五郎の亡き母も、矢橋で正気を奪って源五郎に平家の味方をさせなかったと告げたことを語るので、源五郎は両親の深い恩を知って涙する。五郎大夫は義朝の子を産んだ式部を手柄者と褒め、孫の顔を見て死にたいと元松を呼ぶ。また、お霜に預けていた箱を持参させ、中の神霊の御鎌を義朝に聟引出として渡す。義朝も格別な輝きの御鎌を喜んで受け取る。五郎大夫は源五郎を御家人にするよう義朝に願い、源五郎に鎌田源五正清を名乗らせる。義朝も元松に源太義平と名付け、鬼切丸を与える。五郎大夫はそれを見て満足し、息絶える。

上総介の軍勢が再び押し寄せるので、義朝はお霜と式部に義平を預けて志賀寺に行かせる。鎌田源五は雌雄の鎌を振るって敵を追い散らし、義朝は岩塚兵内を討ち取る。

[第八]　勢多の夕照

（勢多舟橋）136頁2行目～137頁9行目

久寿二年の春、前年冬から幾度も源平が入り乱れて戦った勢多に和睦の勅使が下向し、湖水の波風も静まった。勢多には舟橋が急いで設えられた。

常盤御前は夫義朝の招きで金王丸を供に勢多の舟橋に来る。式部も義平を連れて常盤を迎えに来た。神霊の御鎌を探し出した義朝は左馬頭に、清盛も安芸守に任ぜられた。金王丸は義平に、鎌田兵衛と上総介の敵討の斬り合いが見られると言う。式部は義平に母だと言って常盤を引き合わせ、牧馬の琵琶を朝廷に献上して常盤の母関屋の命も許されたと言う。常盤は、紫式部の古例にならい、式部の語る源氏の軍物語を書き記して献上するよう女院に命じられていると言うので、式部は軍語りを始める。

（源氏軍物語）138頁2行目〜141頁7行目

琵琶湖の南の石山に、義朝が白旗を靡かせて陣を構えている。平家は十二月五日に矢橋の浦から船出して数百艘で攻めたが、源氏は自然の要害に守られて勝利し、平家方は散り散りになって矢橋に帰帆した。

比叡の山風に乗って松坂のさつき踊の三味線や手拍子が聞こえて来るのは粟津の晴嵐である。三井寺の要害に攻め寄せる平家の軍勢を、源氏方は鐘を合図に攻め返して勝鬨をあげた。これが三井の晩鐘である。

常盤御前の産土神辛崎神社の一つ松で夜嵐と雨の中高名を上げたのは志賀左衛門定村だった。堅田の落雁のように列を乱さず小松の城を攻めたのは佐々木源蔵義秀と長田四郎忠宗だった。その時の雪は比良の暮雪である。

清盛の甥平経正と渋谷金王丸の前髪同士の一騎打ちは、両大将とも二人を討たせまいと下知する名場面であった。両軍が鬨を合わせ、源氏方の六千余騎が平家方を攻めて戦ったのは勢多の夕照の眺めである。

（勢多対面）141頁8行目〜144頁5行目

小松城から清盛父子が姿を現した。鎌田兵衛正清が父の敵上総介景純と勢多の舟橋で一騎打ちをし、鎌田が鎌で上総介を討ち取った。源平の両大将は舟橋で対面し、清盛が「神霊の御鎌が見付かって勅命で源平が和睦したので遺恨を残すな」と言うと、義朝も「相伝の家臣上総介を討たれた清盛も残念だろう」と声をかける。重盛が、源平が共に都へ上るべきだが日暮れになると言うが、清盛が日の丸の扇で招くと勢田の夕日が再び上るので、源平は揃って都に入る。この時の故事を安芸国音戸の瀬戸の出来事だと世間では言い伝えている。鵺という怪鳥が出たと言うのも、異国で聖代に霊鳥が出現した古例にならうものだ。

◎補記

15頁2行目　原本「慓」。ルビ・字義を考慮し「懍」で翻刻。

29頁6〜10行目　詞章には『源氏物語』の巻名が数多く詠み込まれている。

33頁6行目　原本では「祟」にいずれも「祟」が当てられ

ているが、すべて「祟」で翻刻した。
44頁1行目　原本「紬」。ルビ・文意を踏まえ「細」で翻刻。83頁1行目「細」も同様。
85頁3行目　原本の字形「氛」・ルビをそのまま翻刻した。
90頁4行目　原本「拸」。文意を踏まえ「移」で翻刻。
91頁7行目　原本「菀」。文意を踏まえ「苑」で翻刻。
（山之内英明）

義太夫節人形浄瑠璃上演年表（一七一六‐一七六四）

一、この年表は、享保期から明和元年にかけて初演された義太夫節人形浄瑠璃作品について、上演年月と翻刻状況を中心に示したものである。

一、上演年月と外題は主に『義太夫年表　近世篇』八木書店に拠り、神津武男『浄瑠璃本史研究』八木書店を参照した。

一、同一の興行外題による再演（推定を含む）は、その正本の現存が『義太夫年表　近世篇』等で確認されているものを掲出した。

一、年表の座（所演）欄の略号は以下の通り。備考欄の「＊」は所演に係る注記事項。

豊：大坂豊竹座
竹：大坂竹本座
出：大坂伊藤出羽掾座
明：大坂明石越後掾座
陸：大坂陸竹小和泉座
北：大坂北本和泉座
宇：京宇治座
扇：京扇谷豊前掾座
外：江戸外記座
辰：江戸辰松座
肥：江戸肥前座
土：江戸土佐座
喜：竹本喜世太夫座
未：所演座未詳

一、翻刻欄には、第二次世界大戦後、『義太夫節浄瑠璃未翻刻作品集成』以前に刊行された翻刻書（原則として私家版および紀要等の雑誌に掲載されたものは除く）の有無について、以下の記号で示した。

▼：未翻刻
▲：未翻刻（戦前に翻刻あり）
▽：改題本または再演本で未翻刻（原作は翻刻あり）
×：正本の現存不明

一、翻刻欄または備考欄に記した翻刻書等の略号は以下の通り（丸文字は収録巻）。翻刻書が複数ある場合、近松門左衛門作品は『近松全集』岩波書店を、それ以外は最新刊を掲げた。なお、翻刻の会については、『同志社国文学』同志社大学国文学会に掲載された翻刻の一覧を年表末に付記することとした。
一風：『西沢一風全集』汲古書院、二〇〇二～二〇〇五年
海音：『紀海音全集』清文堂出版、一九七七～一九八〇年
加賀：『古浄瑠璃正本集　加賀掾編』大学堂書店、一九八九～一九九三年
義浄：『竹本義太夫浄瑠璃正本集』大学堂書店、一九九五年
旧全：『日本古典文学全集』小学館、一九七〇～一九七六年
旧大：『日本古典文学大系』岩波書店、一九五七～一九六七年
浄翻：『浄瑠璃正本翻刻集』国立劇場、一九八八年～
真宗：『大系真宗史料　伝記編4　真宗浄瑠璃』法藏館、二〇〇九年
新全：『新編日本古典文学全集』小学館、一九九四～二〇〇二年
新大：『新日本古典文学大系』岩波書店、一九八九～二〇〇五年
叢書：『叢書江戸文庫』国書刊行会、一九八七～二〇〇二年
近松：『近松全集』岩波書店、一九八五～一九九四年
半二：『日本古典全書　近松半二集』朝日新聞社、一九四九年
文流：『錦文流全集』古典文庫、一九八八～一九九一年
未戯：『未翻刻戯曲集』国立劇場、一九六七年～
近世篇：『義太夫年表　近世篇』八木書店、一九七九～一九九〇年
未翻刻：『義太夫節浄瑠璃未翻刻作品集成』玉川大学出版部、二〇〇六年～

年	月	座	外題	翻刻	備考
享保1	1	豊	八幡太郎東初梅	海音⑥	
	1頃	豊	鎌倉三代記	海音④	
	夏頃	豊	新板兵庫築島	海音④	
2	春	豊	傾城国性爺	海音③	
	2	竹	国性爺後日合戦	近松⑩	
	8	竹	鑓の権三重帷子	近松⑩	
	9	豊	照日前都姿	×	
	10以前	豊	八百屋お七	海音③	
	10	喜	八百屋お七恋緋桜	▼	＊江戸
	11	竹	聖徳太子絵伝記	近松⑩	
3	1	竹	山崎与次兵衛寿の門松	近松⑩	
	2	竹	日本振袖始	近松⑩	
	3	喜	八百屋お七恋緋桜付り後日	▼	＊江戸
	7	竹	曽我会稽山	近松⑩	
	8	豊	傾城吉原雀	×	
	10	竹	日蓮上人記	×	
	10	竹	傾城酒呑童子	近松⑩	
	11以前	豊	山椒太夫葭原雀	海音④	
	11	豊	今様賢女手習鑑	×	
	11	竹	博多小女郎波枕	近松⑩	
	12	竹	善光寺御堂供養	近松⑭	
4	1	豊	義経新高館	海音④	
	2	竹	本朝三国志	近松⑪	
	5	豊	神功皇后三韓責	海音⑤	
	8	豊	頼光新跡目論	海音⑤	
	8	竹	平家女護島	近松⑪	
	8	辰	八百屋お七江戸紫	▼	
	10	豊	業平昔物語	▽	『河内通』加賀④の改題
	11	竹	傾城島原蛙合戦	近松⑪	
	この年	豊	笠屋三勝二十五年忌	×	『二十五年忌』海音⑥の別本
	この年	喜	熊野権現烏午王	文流㊦	＊大坂曽根崎芝居
	この年	喜	竜宮東門阿波鳴戸	×	＊大坂曽根崎芝居
5	1	豊	鎮西八郎唐土船	海音⑤	
	3	竹	井筒業平河内通	近松⑪	
	8	竹	双生隅田川	近松⑪	

	9	豊	日本傾城始	海音⑤	
	11	竹	日本武尊吾妻鑑	近松⑪	
	12	竹	心中天の網島	近松⑪	
	この年	竹	河内国姥火	▲	未翻刻二⑬
6	1	豊	三輪丹前能	海音⑤	
	2	竹	津国女夫池	近松⑫	
	5	豊	伏見常盤昔物語	×	
	7	竹	女殺油地獄	近松⑫	
	閏7	豊	呉越軍談	海音⑥	
	8	竹	信州川中島合戦	近松⑫	
	10	豊	富仁親王嵯峨錦	海音⑥	
7	1	竹	唐船噺今国性爺	近松⑫	
	1	豊	大友皇子玉座靴	海音⑥	
	1	辰	重井筒難波染	▽	『心中重井筒』近松⑤の改題 近世篇〈補訂篇〉参照
	3	竹	浦島年代記	近松⑫	
	4	豊	心中二ツ腹帯	海音⑥	
	4	竹	心中宵庚申	近松⑫	
	6	辰	心中二つ腹帯	▽	『心中二ツ腹帯』海音⑥の改題

	9	竹	仏御前扇車	近松⑭	
	11	豊	東山殿室町合戦	海音⑦	
	顔見世	豊	坂上田村麿	海音⑥	近世篇参照
8	1	豊	玄宗皇帝蓬莱鶴	海音⑦	
	1	未	花毛氈二つ腹帯	×	＊江戸『心中二ツ腹帯』海音⑥の改題
	2	竹	大塔宮曦鎧	近松⑭	
	5	豊	記録曽我玉笄髷	▼	未翻刻二⑭
	7	豊	井筒屋源六恋寒晒	一風④	
	7	豊	傾城無間鐘	海音⑦	
	11	豊	建仁寺供養	一風④	
	11	竹	桜町昔名花	×	
9	1	竹	関八州繋馬	近松⑫	
	2	豊	頼政追善芝	一風④	
	7	竹	諸葛孔明鼎軍談	叢書⑨	
	10	豊	女蝉丸	一風⑤	
	11	竹	右大将鎌倉実記	▲	未翻刻一⑪
10	1	豊	昔米万石通	一風⑤	
	3	豊	南北軍問答	一風⑤	
	5	豊	身替弫張月	一風⑤	

	5	竹	出世握虎稚物語	▲	未翻刻一①
	6	竹	復鳥羽恋塚	▽	『一心五戒魂』義浄㊤の改題
	9	竹	大内裏大友真鳥	叢書⑨	
	10	豊	大仏殿万代石楚	一風⑤	
11	2	豊	曽我錦几帳	▼	未翻刻二⑮
	4	豊	北条時頼記	一風⑥	
	9	竹	伊勢平氏年々鑑	▲	未翻刻一④
12	1以前	外	頼政追善芝	▽	『頼政追善芝』一風④の江戸上演
	1	竹	敵討御未刻太鼓	▲	未翻刻二⑯
	2	豊	清和源氏十五段	▼	未翻刻一⑥
	4	竹	七小町	叢書⑨	
	8	竹	三荘太夫五人嬢	叢書⑨	
	8	豊	摂津国長柄人柱	叢書⑩	
13	2	豊	尊氏将軍二代鑑	▼	未翻刻一⑤
	3	竹	工藤左衛門富士日記	▲	未翻刻一③
	5	豊	南都十三鐘	▼	未翻刻二⑰
	5	竹	加賀国篠原合戦	叢書⑨	
	この頃	豊	頼政扇の芝	▽	『頼政追善芝』一風④の改題
14	1	豊	後三年奥州軍記	叢書⑩	
	2	竹	尼御台由比浜出	▼	未翻刻三㉓
	6	竹	新板大塔宮	×	『大塔宮曦鎧』近松⑭の改題
	8	竹	眉間尺象貢	▲	未翻刻五㊸
	9	豊	藤原秀郷俵系図	▼	未翻刻一②
	11	竹	京土産名所井筒	▼	未翻刻一⑦
15	1	豊	蒲冠者藤戸合戦	▼	未翻刻三㉔
	2以前	竹	梅屋渋浮名色揚	▼	未翻刻二⑱
	2	竹	三浦大助紅梅靮	叢書㊳	
	5	豊	本朝檀特山	▲	未翻刻三㉕
	8	竹	信州姨拾山	▲	未翻刻一⑧
	8	豊	楠正成軍法実録	▼	未翻刻二⑲
	11	竹	須磨都源平躑躅	▲	未翻刻一⑩
16	1	豊	源家七代集	▼	未翻刻二⑳
	4	豊	和泉国浮名溜池	▼	未翻刻二㉑
	6	豊	酒呑童子枕言葉	×	『酒呑童子枕言葉』近松⑥の豊竹座上演
	9	竹	鬼一法眼三略巻	▲	未翻刻一⑨

年	月	座	外題	印	備考
	9以前	豊	殺生石		海音④
	9以前	豊	忠臣青砥刀		海音⑦
	9以前	豊	本朝五翠殿		海音④
	9以前	豊	浄瑠璃古今序		海音④
	9以前	豊	金平法問諍　忠臣身替物語	▽	『今様かしは木忠臣身替物語』義浄㊤の改題
	10	豊	赤沢山伊東伝記	▼	未翻刻一⑫
17	4	豊	八百屋お七恋緋桜	▽	『八百屋お七』海音③の改題
	4	竹	増補用明天王	▼	未翻刻七(72)
	5	豊	今様傾城反魂香	▼	未翻刻八(73)
	6	竹	伊達染手綱	▽	『丹波与作待夜のこむろぶし』近松⑤の改題
	9	竹	壇浦兜軍記	旧全㊺	
	9	豊	待賢門夜軍	▼	未翻刻四㉝
	10	豊	忠臣金短冊	叢書⑩	
	12	出	前内裏島王城遷	▼	未翻刻七(63)
18	2	豊	お初天神記	▽	『曽根崎心中十三年忌』海音⑦の改題
	4	竹	車還合戦桜	▲	未翻刻三㉖
	4	豊	鎌倉比事青砥銭	▲	未翻刻二㉒
	6	竹	景事揃	×	
	7	竹	重井筒容鏡	▽	『心中重井筒』近松⑤の改題
	7	豊	莠伶人吾妻雛形	▼	未翻刻五㊹
19	2	竹	応神天皇八白幡	叢書㊳	
	5以前	辰	伊勢平氏年々鑑	▽	『伊勢平氏年々鑑』未翻刻④の江戸上演
	5以前	辰	傾情山姥都歳玉	▼	未翻刻六(53)
	5以前	辰	西行法師墨染桜	▽	『西行法師墨染桜』文流㊤の江戸上演
	6	豊	曽我昔見台	▼	未翻刻三㉗
	8	豊	那須与一西海硯	叢書⑪	
	10以前	未	契情我立杣	▼	＊江戸　未翻刻八(74)
	10	竹	芦屋道満大内鑑	新大(93)	
20	1	竹	元日金歳越	▲	未翻刻三㉘
	2	豊	南蛮鉄後藤目貫	×	写本（八種）が伝存　叢書⑪底本は演博本『南蛮銅後藤目貫』
	5	豊	万屋助六二代稀	▲	未翻刻三㉙
	8	豊	苅萱桑門築紫𨏍	▲	未翻刻四㉞

	9	竹	甲賀三郎窟物語	叢書㊳	
元文1	2	竹	赤松円心緑陣幕	▼	未翻刻五㊺
	2	竹	天神記冥加の松	×	
	3	豊	和田合戦女舞鶴	叢書⑪	
	5	竹	十二段長生島台	×	
	5	竹	敵討襤褸錦	▲	未翻刻六(54)
	10	竹	猿丸太夫鹿巻毫	叢書㊳	
	この頃	未	今様東二色	▼	＊江戸 未翻刻四㉟
2	1	豊	安倍宗任松浦簦	▲	未翻刻五㊻
	1	竹	御所桜堀川夜討	叢書㊳	
	1	竹	菅丞相冥加松梅	×	『浄瑠璃本史研究』参照
	7	豊	釜渕双級巴	▲	未翻刻四㊱
	10	竹	太政入道兵庫岬	▼	未翻刻五㊼
3	1	竹	行平磯馴松	叢書㊳	
	4	豊	丹生山田青海剣	▲	未翻刻四㊲
	8	竹	小栗判官車街道	叢書㊵	
	10	豊	茜染野中の隠井	▲	未翻刻六(56)
4	2	豊	奥州秀衡有鬠壻	未戯③	
	4	竹	ひらかな盛衰記	旧大(51)	未翻刻八(75)
	8	豊	狭夜衣鴛鴦剣翅	新大(93)	
5	2	豊	鶊山姫舎松	叢書⑪	
	4	豊	本田義光日本鑑	▲	未翻刻五㊽
	4	竹	今川本領猫魔館	▲	未翻刻八(76)
	7	竹	将門冠合戦	▲	未翻刻七(64)
	9	豊	武烈天皇艤	▲	
	11	竹	追善百日曽我	×	
	11	竹	恋八卦柱暦	▽	『大経師昔暦』近松⑨の改題（戦前に翻刻）
寛保1	1	竹	伊豆院宣源氏鏡	▲	未翻刻七(65)
	3	豊	本朝斑女簪	▼	
	5	竹	新うすゆき物語	新大(93)	
	5	豊	青梅撰食盛	▼	未翻刻八(82)
	7	豊	播州皿屋舗	叢書⑪	
	9	豊	田村麿鈴鹿合戦	▼	未翻刻四㊳
2	2	竹	花衣いろは縁起	▼	未翻刻四㊴
	3	豊	百合稚高麗軍記	▼	未翻刻四㊵
	3	肥	石橋山鎧襲	▼	未翻刻四㊶
	4	竹	室町千畳敷	▽	『津国女夫池』近松⑫の改題（戦前に翻刻）

	7	竹	男作五雁金	叢書㊵	
	8	豊	道成寺現在蛇鱗	叢書㊲	
	9	豊	鎌倉大系図	▼	未翻刻五㊾
3	3	豊	風俗太平記	▼	
	4	竹	入鹿大臣皇都諍	▼	未翻刻六(56)
	5	竹	丹州爺打栗	▼	未翻刻三㉚
	8	豊	久米仙人吉野桜	叢書㊲	
延享1	3	竹	児源氏道中軍記	▼	未翻刻六(57)
	3	肥	義経新含状	▲	未翻刻八(77) 改題本『後藤伊達贖』が戦前に翻刻
	4	豊	潤色江戸紫	▲	
	9	豊	柿本紀僧正旭車	▼	未翻刻七(66)
	11	竹	ひらかな盛衰記	▽	近世篇参照
	11	竹	八曲筺掛絵	▼	未翻刻七(72)
	12	豊	遊君衣紋鑑	▼	未翻刻六(58)
2	1	明	三軍桔梗原	▼	
	2	竹	軍法富士見西行	叢書㊵	
	2	豊	**詩近江八景**	▼	未翻刻八(78)
	3	未	萬葉女阿漕	×	写本（一種）が伝存 未翻刻七(67)

	4	明	延喜帝秘曲琵琶	▼	
	5	豊	増補大仏殿献礎	▼	未翻刻六(59)
	7	竹	夏祭浪花鑑	旧大(51)	
	8	豊	浦島太郎倭物語	▼	未翻刻八(79)
	閏12	陸	唐金茂衛門東鬘	▼	
3	1	竹	楠昔噺	叢書㊵	
	5	竹	追善仏御前	×	『仏御前扇車』近松⑭の改題
	5	竹	追善重井筒	▽	『心中重井筒』近松⑤の改題
	5	豊	酒呑童子出生記	▼	未翻刻五㊿
	7以前	竹	博田小女郎思洑	▽	『博多小女郎波枕』近松⑩の改題
	8	陸	歌枕棣棠花合戦	▼	未翻刻七(68)
	8	竹	菅原伝授手習鑑	旧全㊼	
	10	陸	女舞剣紅楓	▼	未翻刻六(60)
	11	豊	花筏巌流島	▼	未翻刻八(80)
4	2	豊	裙重紅梅服	▼	
	2	陸	鎮西八郎射往来	▼	
	2以降	陸	氷室地大内軍記	×	
	3	豊	万戸将軍唐日記	▼	

年	月	座	外題	翻刻	備考
	7	豊	悪源太平治合戦	▼	
	8	竹	傾城枕軍談	▼	未翻刻三㉛
	10	肥	いろは日蓮記	▼	未翻刻四㊷
	11	竹	義経千本桜	新大(93)	
寛延1	1	豊	容競出入湊	未戯⑫	
	7	豊	東鑑御狩巻	▼	未翻刻七(69)
	8	竹	仮名手本忠臣蔵	新全(77)	
	9	宇	住吉誕生石	▼	
	11	豊	摂州渡辺橋供養	叢書㊲	
2	3	豊	八重霞浪花浜荻	浄翻①	
	4	竹	粟島譜嫁入雛形	▼	未翻刻五(51)
	7	辰	粟島譜利生雛形	×	『粟島譜嫁入雛形』未翻刻(51)の改題
	7	豊	華和讃新羅源氏	真宗	
	7	豊	なには五節句操大踊	×	
	7	竹	双蝶蝶曲輪日記	新全(77)	
	10	肥	日蓮記児硯	▽	『いろは日蓮記』未翻刻㊷の改題
	11	豊	物ぐさ太郎	▼	未翻刻五(52)
	11	竹	源平布引滝	旧大(52)	未翻刻八(81)

年	月	座	外題	翻刻	備考
3	3	豊	手向八重桜	浄翻①	
	6	豊	夏楓連理枕	▼	
	8	肥	新板累物語	▼	未翻刻六(61)
	8頃	豊	傾城買指南	▼	未翻刻八(82) 『浄瑠璃本史研究』参照
	11	竹	文武世継梅	▼	未翻刻六(62)
宝暦1	1	豊	玉藻前曦袂	▼	未翻刻七(70)
	2	竹	恋女房染分手綱	▼	未翻刻七(71)
	4	豊	浪花文章夕霧塚	▼	
	7	竹	仕合丸浪花入船	×	
	7	豊	頼政扇子芝	▽	『頼政追善芝』一風④の改題
	8	肥	八幡太郎東海硯	▼	
	10	豊	日蓮聖人御法海	未戯⑩	
	10	竹	役行者大峰桜	叢書⑭	
	12	豊	一谷嫩軍記	▲	未翻刻三㉜
	この頃	肥	親鸞聖人絵伝記	×	
2	2	竹	名筆傾城鑑	▼	
	5	竹	世話言漢楚軍談	▼	
	7	肥	太平記枕言	▼	

	11	竹	伊達錦五十四郡	▼	
	12	豊	倭仮名在原系図	▼	
3	5	竹	愛護稚名歌勝鬨	叢書⑭	
	7	豊	雄結勘助島	▼	
4	1	竹	菖蒲前操弦	▲	
	2	豊	相馬太郎孶文談	▼	
	4	竹	小袖組貫練門平	▼	
	7	豊	義経腰越状	▼	
	10以前	竹	太平記曦鎧	▽	＊京『大塔宮曦鎧』近松⑭の改題
	10	竹	小野道風青柳硯	叢書⑭	
	10頃	竹	恋女房染分手綱	▽	＊京
	12	豊	天智天皇苅穂庵	▼	
5	4	豊	三国小女郎曙桜	▼	
	6	竹	庭涼座鋪操	▼	
	7	豊	双扇長柄松	▼	
	7	竹	庭涼操座鋪	▼	
	11	竹	拍子扇浄瑠璃合	▼	
	11	竹	年忘座鋪操	▼	
6	2	竹	崇徳院讃岐伝記	▼	
	3	豊	義仲勲功記	▼	
	5	竹	業平男今様井筒	▽	＊京『京土産名所井筒』未翻刻⑦の改題
	10	竹	平惟茂凱陣紅葉	▼	
	閏10	豊	甲斐源氏桜軍配	▼	
	この年	豊	和田合戦女舞鶴	▽	近世篇参照
7	1	豊	写倆足利染	▼	
	2	竹	姫小松子の日遊	▼	
	3	豊	前九年奥州合戦	▼	
	7	肥	泉三郎伊達目貫	▼	
	9	竹	薩摩歌妓鑑	▼	
	12	豊	祇園祭礼信仰記	叢書㊲	
	12	竹	昔男春日野小町	▼	
8	3	竹	敵討崇禅寺馬場	▼	
	8	肥	聖徳太子職人鑑	▼	
	8	竹	蛭小島武勇問答	▼	
9	2	竹	日高川入相花王	未戯⑦	
	3	豊	芽源氏鶯塚	▼	
	5	豊	難波丸金鶏	▲	
	9	竹	太平記菊水之巻	叢書⑭	

年	月	座	外題		備考
	10	竹	楠正行軍略之巻	×	＊京『太平記菊水之巻』叢書⑭の改題
	12	豊	先陣浮洲巌	▼	
10	3	豊	桜姫賤姫桜	▼	
	7	竹	極彩色娘扇	▼	
	11	竹	年忘座舗操	×	＊大坂曽根崎新地芝居
	12	豊	祇園女御九重錦	叢書㊲	
11	1以前	竹	浪花土産年玉操	×	＊京
	1	竹	安倍清明倭言葉	▼	
	3	豊	八重霞浪花浜荻	▽	＊大坂曽根崎新地芝居 近世篇参照
	5	竹	由良湊千軒長者	▼	
	5	豊	曽根崎模様	▼	＊大坂曽根崎新地芝居
	9	豊	人丸万歳台	▼	
	9頃	豊	下総国累蠡	×	近世篇〈補訂篇〉参照
	10	竹	冬籠難波梅	×	
	11	竹	古戦場鐘懸の松	▼	
12	2	豊	三好長慶碪軍談	▼	
	3	竹	花系図都鑑	▼	
	閏4	豊	岸姫松轡鑑	▼	

年	月	座	外題		備考
	6	竹	夏景色浄瑠璃合	×	
	夏	未	忠臣五枚兜	×	写本（一種）が伝存『浄瑠璃本史研究』参照
	9	竹	奥州安達原	半二	
13	3	豊	洛陽瓢念仏	▼	
	4	竹	山城の国畜生塚	叢書⑭	
	4	竹	天竺徳兵衛郷鏡	未戯⑤	
	4	豊	新舞台咲分牡丹	▼	
	7	豊	新舞台扇子錦木	▼	『浄瑠璃本史研究』参照
	8	竹	御前懸浄瑠璃相撲	×	
	12	豊	馬場忠太紅梅箙	▼	
	宝暦年中	竹	あづま摂恋山崎	×	
	宝暦年中	竹	天神記恵松	▽	『天神記』近松⑧の改題
	宝暦末頃	未	鉐石川五右衛門	×	＊京『浄瑠璃本史研究』参照
明和1	1	土	吉野合戦名香兜	▼	
	1	北	須磨内裏掚弓勢	▼	
	1	竹	傾城阿古屋の松	▼	
	3	外	増補姫小松子日の遊四段目	▼	『浄瑠璃本史研究』参照
	4	豊	官軍一統志	▼	

4	肥	祇園祭金閣寺小袖之鏡	×	
4	竹	京羽二重娘気質	▲	
夏	肥	乱菊枕慈童	×	『浄瑠璃本史研究』参照
7	竹	敵討稚物語	▲	
8	外	明月名残の見台	×	
8	扇	増補女舞剣紅葉	▼	
9	外	菊重藨月見	×	
10	豊	嬢景清八島日記	▼	近世篇参照
11	豊	二ツ腹帯	▽	近世篇〈補訂篇〉参照
11	竹	江戸桜愛敬曽我	×	
12	竹	冬桜咲分錦	×	近世篇〈補訂篇〉参照
12	豊	いろは歌義臣鍪	▲	

（義太夫節正本刊行会）

［付記］翻刻の会（同志社大学）による翻刻一覧

享保13　尊氏将軍二代鑑　『同志社国文学』五七・六〇・六二
元文5　武烈天皇艤　『同志社国文学』六四・六六
寛保1　本朝斑女簑　『同志社国文学』四〇
寛保3　風俗太平記　『同志社国文学』三七
延享1　潤色江戸紫　『同志社国文学』九二・九三
延享4　悪源太平治合戦　『同志社国文学』七〇・七五
宝暦2　名筆傾城鑑　『同志社国文学』四五・四六
宝暦8　聖徳太子職人鑑　『同志社国文学』九六・九八
宝暦11　曽根崎模様　『同志社国文学』四一・四三
明和5　よみ売三巴　『同志社国文学』八二
明和6　振袖天神記　『同志社国文学』八八・九〇
寛政9　会稽多賀誉　『同志社国文学』七四・七七

義太夫節正本刊行会《ぎだゆうぶししょうほんかんこうかい》

飯島　満	伊藤りさ	上野左絵	川口節子
黒石陽子	坂本清恵	桜井　弘	髙井詩穂
田草川みずき	富澤美智子	原田真澄	東　晴美
渕田裕介	森　貴志	山之内英明*	

（*は本巻担当者）

義太夫節浄瑠璃未翻刻作品集成《ぎだゆうぶしじょうるりみほんこくさくひんしゅうせい》（第《だい》8期《き》）78

詩《からうた》 近江八景《おうみはっけい》

2025年2月25日　初版第1刷発行

編者 ―――――― 義太夫節正本刊行会

発行者 ――――― 小原芳明

発行所 ――――― 玉川大学出版部

〒194-8610 東京都町田市玉川学園6-1-1
TEL 042-739-8935　FAX 042-739-8940
http://www.tamagawa.jp/up/
振替 00180-7-26665

装丁 ――――― 松田洋一（原案）・しまうまデザイン

印刷・製本 ―― 創栄図書印刷株式会社

乱丁・落丁本はお取り替えいたします。

ISBN978-4-472-01700-1 C1091 / NDC912